Marco Mezza[illegible] [illegible]oni

Rete! 3

Corso multimediale d'italiano per stranieri

[libro di classe]

Guerra Edizioni

Autori
Marco Mezzadri, Paolo E. Balboni.

Hanno curato le sezioni di Fonologia: *Marco Cassandro*
e di Civiltà: *Giovanna Pelizza.*

Le sezioni di valutazione e autovalutazione
sono a cura di *Mario Cardona.*

Progetto grafico
Keen s.r.l. - *Silvia Bistacchia.*

Ricerca iconografica, Disegni, Fotografie
Francesca Manfredi, Meri Di Pasquantonio

Stampa
Guerra guru s.r.l. - Perugia.

In collaborazione con: *Eulogos®*

ISBN 88-7715-585-X

I edizione

9. 8. 7. 6. 5.

2007 2006 2005

Gli autori e l'editore sono a disposizione degli aventi diritto con i quali non è stato possibile comunicare nonché per involontarie omissioni o inesattezze nella citazione delle fonti di brani o immagini, riprodotti nel presente volume.

Nomi, immagini e marchi di prodotti sono riportati senza modifiche o ritocchi perchè così, didatticamente più efficaci.
Non esiste alcun rapporto con i relativi produttori. Gli autori e l'editore non intendono cioè fare paragoni o indirettamente opera di promozione.

La realizzazione di un libro comporta un attento lavoro di revisione e controllo sulle informazioni contenute nel testo, sull'iconografia e sul rapporto che intercorre tra testo e immagine.
Nonostante il costante controllo, è quasi impossibile pubblicare un libro del tutto privo di errori o refusi.
Per questa ragione ringraziamo fin d'ora i lettori che li vorranno segnalare al seguente indirizzo:

Guerra Edizioni
via Aldo Manna, 25 - Perugia (Italia) - tel. +39 075 5289090 - fax +39 075 5288244
e-mail: geinfo@guerra-edizioni.com - www.guerra-edizioni.com

Rete!
introduzione
CORSO MULTIMEDIALE D'ITALIANO PER STRANIERI

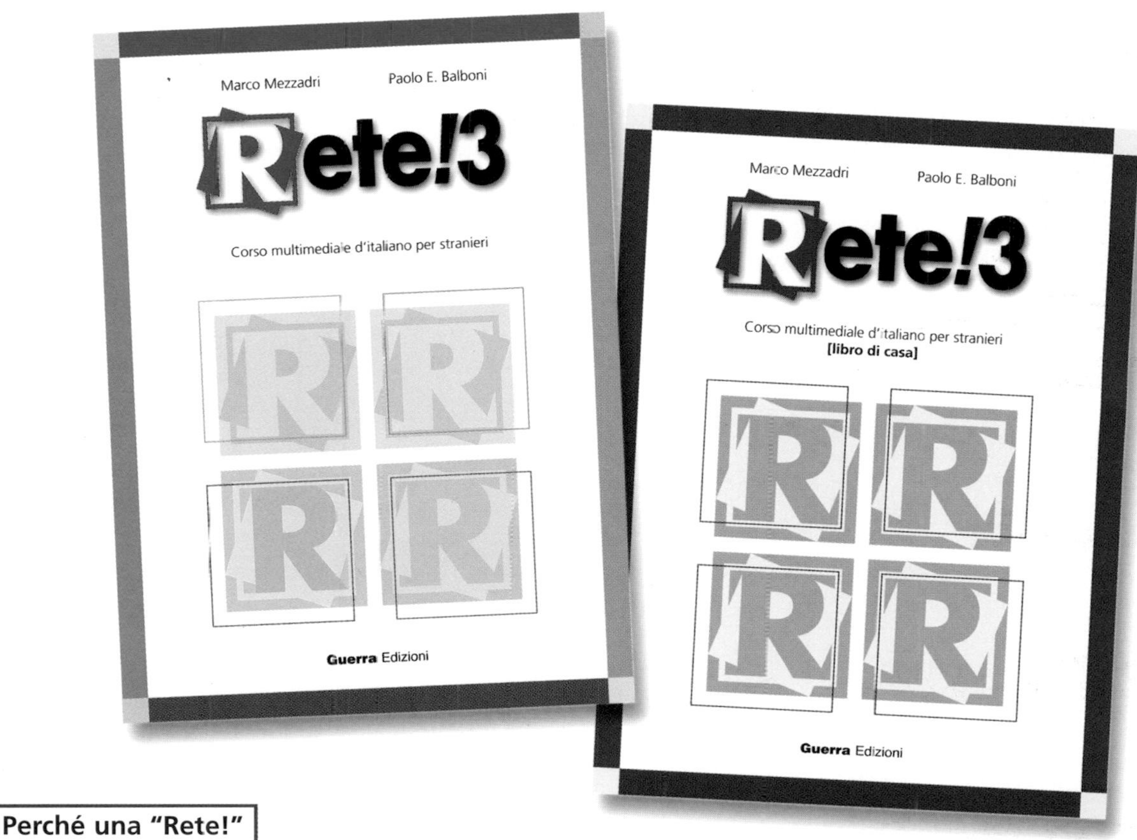

Perché una "Rete!"

Questo manuale nasce dall'intersezione tra tre forze:

a. da un lato esso nasce nell'alveo della tradizione di didattica dell'italiano: è organizzato in unità didattiche monotematiche, attribuisce un ruolo chiave alla scoperta della complessità della nostra grammatica, affianca testi della vita quotidiana e testi letterari, offre largo spazio alla cultura e civiltà del nostro variegato Paese, e così via;

b. d'altro canto esso trasporta questa tradizione su uno sfondo europeo, facendo proprie le lezioni della didattica dell'inglese, del francese e del tedesco: il curricolo è progettato con riferimento al Livello Soglia del Consiglio d'Europa ed è basato su un impianto "multisillabo", cioè sull'interazione e l'equilibrio di un sillabo grammaticale / strutturale, uno nozionale / funzionale, uno lessicale, uno relativo allo sviluppo delle abilità di ascolto, parlato, lettura e scrittura, un sillabo situazionale, uno fonetico, uno culturale; tutti questi sillabi, che l'insegnante ha a disposizione in un'ampia sinossi, richiedono circa 300 ore (circa 100 per livello) per condurre ad un livello intermedio / alto / avanzato e si realizzano sul piano metodologico per mezzo di un approccio basato sulla soluzione di problemi e sul "fare con" piuttosto che "lavorare su" la lingua;

c. infine, si mettono in pratica alcune delle linee più avanzate della ricerca glottodidattica italiana: l'approccio induttivo alla grammatica, che viene scoperta dallo studente sotto la guida dell'insegnante; il fatto che l'accuratezza della forma ha pari dignità della capacità meramente pragmatica, comunicativa; l'invito a riflettere su quanto si è appreso (ogni unità si conclude con una sintesi in cui lo studente traccia un bilancio facendo preciso riferimento contrastivo con la propria lingua madre). L'autovalutazione, sebbene guidata e controllata dal docente, è ritenuta essenziale per cui ogni UD ha una scheda di autovalutazione da compilare, ritagliare, consegnare all'insegnante.

Queste tre direttrici agiscono sullo sfondo creato dal vorticoso mutare degli strumenti: se da un lato si tratta di un manuale "tradizionale", in tre volumetti per la classe e altrettanti quaderni per casa, con audiocassette o CD audio, ecc., dall'altro si colloca nel mondo nuovo in cui è possibile fornire:

- floppy con esercizi supplementari;
- collegamenti in rete per approfondimento dei temi trattati nelle unità (indicati con un simbolo), in modo che lo studente che ha accesso a un computer possa approfondire i temi usando l'italiano in rete, oltre che studiandolo sul libro, e costruire, insieme alla propria classe, all'insegnante o autonomamente, scambi con altri studenti e classi sulla base di progetti didattici stimolati dagli argomenti trattati in **RETE!**;
- una banca dati presso il sito Guerra per l'aggiornamento dei materiali di civiltà, per ulteriori attività, esercizi, ecc., con cui integrare il libro base;
- un "luogo comune" in rete in cui gli insegnanti che usano **RETE!** possono fare commenti, suggerire alternative, fornire integrazioni, dialogare tra di loro e con gli autori.

Per queste sue caratteristiche, per il fatto di essere il risultato di una rete dei fili che hanno percorso la glottodidattica italiana ed europea in questi anni e di essere il centro di una rete di connessioni virtuali tra studenti e docenti di italiano di tutto il mondo, il titolo **RETE!** non è solo un omaggio al momento più entusiasmante dello sport preferito degli italiani (uno sport che è ambasciatore di italianità in tutto il mondo, dove anche chi non conosce Dante e Goldoni sa mormorare Baggio o Maldini), ma è l'essenza stessa del progetto, costruito sulla trama della tradizione e l'ordito dell'innovazione.

La struttura di "Rete!"

L'opera si compone di:

- libro di classe
- guida per l'insegnante
- libro di casa
- audiocassette o CD audio
- applicazioni per Internet
- una serie di materiali collaterali che, anno dopo anno, allargheranno la possibilità di scelta di materiali integrativi.

Il libro dello studente è la parte principale del testo per l'utilizzo in classe. È suddiviso in unità con ognuna un tema unificante, che permette di presentare gli elementi dei vari sillabi. Ogni unità conterrà poi pagine ben definite, dedicate ad esercizi per lo sviluppo di grammatica, lessico, quattro abilità, fonologia. Inoltre, c'è una sezione dedicata alla civiltà, presentata in chiave contrastiva. Gli argomenti trattati in questa sezione intendono fornire agli studenti strumenti idonei per capire la realtà italiana contemporanea, senza trascurare gli aspetti storici e culturali più importanti, eredità del nostro passato, che determinano la ricchezza del nostro presente.
Alla fine di ogni unità lo studente trova un riassunto grammaticale, funzionale e lessicale del materiale incontrato, impostato con riferimento alla sua lingua materna, e trova anche una sezione di autovalutazione progressiva: lo studente esegue queste attività a casa, quindi potendo recuperare nell'unità le informazioni che ancora gli sfuggono e implicitamente procede ad un'autovalutazione, poi consegna la scheda all'insegnante che rapidamente (le chiavi sono nella guida didattica) può dare allo studente un feedback che conferma il risultato o lo mette in guardia invitandolo ad approfondire l'unità appena conclusa.
Ogni unità è suddivisa tra una sezione da svolgere in classe, nel volume a colori, ed una da svolgere a casa per il lavoro autonomo di rinforzo, esercitazione, approfondimento - ma anche con cruciverba e altri giochi che mettono "in gioco" il lessico e la grammatica presentate nell'unità.
Il libro di casa si chiude con una sezione dedicata alla civiltà, strutturata per schede tematiche a colori che permettono di utilizzare **RETE!** come testo di lingua e di civiltà in quei contesti scolastici in cui la civiltà necessita di particolare spazio. Questa sezione è un ulteriore strumento a disposizione di studenti e insegnanti per partire all'esplorazione della rete Internet attraverso gli innumerevoli collegamenti indicati sul sito dedicato al testo.
La guida dell'insegnante è uno strumento pratico con note e suggerimenti per ogni unità, con idee per attività opzionali aggiuntive, con test progressivi di verifica da fotocopiare e somministrare ogni tre unità per effettuare dei "compiti in classe". Le cassette audio sono parte integrante dello sviluppo del sillabo dell'ascolto e servono per il lavoro in classe e a casa.

Questi tre volumi richiedono circa 300 (circa 100 per livello) ore di lavoro guidato dal docente, cui va aggiunto quello autonomo, sia di completamento (studio individuale, esercitazioni, ecc.) sia di espansione (navigazione nei siti internet consigliati, ecc.), e si giunge ad un livello "intermedio/alto", secondo la terminologia del Consiglio d'Europa, o "avanzato" secondo la nostra tradizione.

Chi lancia la rete

Questo manuale, che di anno in anno si evolverà in una costellazione di materiali didattici tra cui l'insegnante potrà scegliere, è originale per un ultimo motivo: esso non nasce da un singolo autore o da un gruppo stabile, collaudato da anni di produzione, radicato in un luogo. Al contrario, per poter trarre vantaggio dalla pluralità delle esperienze italiane, per non rischiare di ricalcare cliché localistici o di reiterare in nuove forme impianti preesistenti, esso è il prodotto di una nuova rete di autori e centri di progettazione:

- la progettazione glottodidattica è condotta a Ca' Foscari, cui migliaia di docenti sono ricorsi per formazione o certificazione didattica: Paolo Balboni, direttore del Progetto ItaLS, ha coordinato l'impianto di **RETE!**;
- la delicatissima fase della realizzazione delle unità didattiche è avvenuta in una città che non rientra nel canonico asse Perugia-Siena-Venezia, ma la cui Università ha istituito un prestigioso Centro Linguistico dove si insegna l'italiano a stranieri: Parma. All'Università di Parma opera Marco Mezzadri, autore di molti materiali didattici per l'italiano, che ha impostato in tandem con Paolo Balboni l'impianto glottodidattico e ha curato i sillabi; sempre a Parma lavora Giovanna Pelizza, autrice di vari prodotti multimediali per l'insegnamento dell'italiano, che ha curato le sezioni di civiltà e seguito la realizzazione delle unità;
- a uno dei poli tradizionali per l'insegnamento dell'italiano, l'Università per Stranieri di Siena, appartiene Marco Cassandro, che ha curato il sillabo e i materiali per la fonologia;
- il centro di progettazione e realizzazione operativa invece è a Perugia, dove ha sede l'altra Università italiana per Stranieri, e si avvale dell esperienza maturata in decenni di produzione di testi d'italiano per stranieri;
- a Ca' Foscari ha operato anche Mario Cardona, responsabile per il testing nel Progetto ItaLS, che ha realizzato le schede valutative di **RETE!**.

TITOLO	LIVELLO	DESTINATARI
Rete! Junior Parte A **Rete! Junior Parte B**	**A1** **A2**	Adatto per pre-adolescenti e adolescenti fino ai 15 anni circa. Adatto per pre-adolescenti e adolescenti fino ai 15 anni circa. Concluso il percorso con Rete! Junior si continua con Rete!2.
Rete! Primo Approccio Parte A **Rete! Primo Approccio Parte B**	**A1** **A2**	Alternativo a Rete!1. Adatto in: - corsi intensivi - corsi con obiettivi di minor approfondimento rispetto a Rete!1. Indicato per studenti di madrelingua lontana dall'italiano. Concluso il percorso con Rete! Primo Approccio si continua con Rete!2.
Rete!1	**A1/A2**	Alternativo a Rete! Primo Approccio. Adatto in: - corsi con buoni obiettivi di approfondimento della lingua. Concluso il percorso con Rete!1 si continua con Rete!2.
Rete!2	**B1/B2**	Concluso il percorso con Rete!2 si continua con Rete!3
Rete!3	**B2/C1**	Conclude il percorso di Rete! portando gli studenti a un livello avanzato.
Rete! videocorso di italiano *(elementare/preintermedio)*	**A1/A2**	Il video può essere usato come integrazione del testo Rete!1, Rete! Primo Approccio, Rete! Junior. Utile per il ripasso nel passaggio da A2 a B1. Può essere usato anche come integrazione di altri corsi di lingua.
Rete! videocorso di italiano *(intermedio)*	**B1/B2**	Il video può essere usato come integrazione del testo Rete!2. Utile per il ripasso nel passaggio da B1 a B2 e da B2 a C1. Può essere usato anche come integrazione di altri corsi di lingua.

tavola sinottica

Unità 1 italiano, tra passato e presente

Grammatica Ripasso e verifica di alcune strutture dei livelli precedenti Rete!1 e Rete!2.

Lessico *Ri* e *re* prefissi. La metalingua. Marcatori del discorso orale.

Civiltà Nuove forme di comunicare: gli SMS.

Unità 2 gli italiani, i regali e le feste

Grammatica I verbi impersonali. Ripasso del congiuntivo. Espressioni con il congiuntivo: *benché*, *sebbene*, *malgrado*, *nonostante*, *affinché*, *perché*, *purché*.

Lessico Ripasso oggetti comuni. Sostantivi in *-aio*, *-ore*, femminile in *-essa* ecc. Dal verbo al sostantivo: *mangiare*, *mangiatore* ecc. Scala di raffronto chili, libbre, litri, galloni, ecc.

Civiltà Le feste in Italia.

Unità 3 giusto o sbagliato

Grammatica Esprimere un desiderio, un'opinione e dare consigli: condizionale semplice + congiuntivo imperfetto. Ripasso: il periodo ipotetico della possibilità. Il periodo ipotetico dell'irrealtà. Ripasso: il passato remoto. *Stare* vs *essere*.

Lessico La criminalità e la giustizia. *Sono d'accordo, non sono d'accordo. Secondo me. Io penso/credo/ritengo. È meglio/giusto/sbagliato/opportuno/necessario che* + congiuntivo. *Mica. Non è mica vero!*

Civiltà La mafia.

Unità 4 la pubblicità e il made in Italy

Grammatica Passivo con *essere* e *venire*. *Va fatto* = *deve essere fatto*. Il *si* passivante. I pronomi relativi con *il quale, la quale, i quali, le quali*. *Colui, colei, coloro che*.

Lessico	*Rosso fuoco, nero seppia, grigio fumo di Londra, bianco ghiaccio, rosa antico, verde pisello, giallo canarino.* Verbi di percezione visiva: *dare un'occhiata, fissare, osservare, sbirciare, contemplare.* La formazione dei sostantivi, degli aggettivi, degli avverbi. Dal sostantivo all'aggettivo o avverbio. Dall'aggettivo al sostantivo.
Civiltà	La pubblicità sulla stampa.

Unità 5 bianchi e neri, altri modi di vita e terzo mondo

Grammatica	Accordi del participio passato. *Si* con *essere* + aggettivo (*si è buoni quando...*); *si* più riflessivi (*ci* + *si*). Congiuntivo trapassato. Ripasso e ampliamento dei comparativi. I comparativi e i superlativi dell'avverbio. Superlativo relativo *che abbia mai...* Comparativo: *di quanto...*
Lessico	Prefissi negativi in *in-, s-, dis-*. Collegare le frasi: le congiunzioni subordinanti e coordinanti. *Quella cosa che...*Perifrasi. *Tocca a me.*
Civiltà	L'Italia e l'immigrazione.

Unità 6 mens sana in corpore sano

Grammatica	Il periodo ipotetico dell'impossibilità. Congiuntivo trapassato. Condizionale composto. Gli indefiniti. Pronomi combinati con *ci* di luogo. *Tra/fra* di tempo.
Lessico	Participio presente vs passato: interessante interessato. Verbi composti: contrarre una malattia: *trarre, porre,* ecc. Gli organi interni. *L'osso, le ossa, sopracciglio/sopracciglia.* Le malattie.
Civiltà	Gli uomini e la bellezza.

Unità 7 la letteratura

Grammatica	Futuro nel passato. Trapassato remoto. Ripasso: le preposizioni.
Lessico	Sinonimi e contrari. Omografi e parole polisemiche.
Civiltà	Una mappa della lettura.

Unità 8 le opinioni politiche

Grammatica	Verbi + infinito o forma esplicita (*Pensare di, pensare che*). Verbi + *a* o *di*. Comparativi: ripasso. Comparativi di minoranza e uguaglianza.
Lessico	Parole composte.
Civiltà	La satira politica.

Unità 9 La musica

Grammatica Modi indefiniti: gerundio, participio, infinito. Pronomi personali con i modi indefiniti. La concordanza dei tempi con l'indicativo.

Lessico Le parole onomatopeiche. Famiglie di verbi. Diversi verbi di moto.

Civiltà La canzone italiana dagli anni '50 ad oggi.

Unità 10 Il teatro

Grammatica La concordanza dei tempi con il congiuntivo. Discorso indiretto.

Lessico Modi di dire.

Civiltà Un teatro meno conosciuto.

Questo simbolo rimanda al sito internet di **Rete!** www.rete.co.it. È un modo nuovo di intendere la civiltà, una possibilità in più per voi e i vostri studenti. Lì troverete, inoltre, collegamenti a siti relativi agli argomenti trattati nelle unità e attività didattiche per lo sviluppo della lingua attraverso gli elementi di civiltà che i siti web offrono.

 ascoltare

 parlare

 leggere

 scrivere

 1 Guarda le immagini. A cosa ti fanno pensare. Parlane con un compagno.

unità 1
italiano, tra passato e presente

I proverbi a volte hanno un sapore vecchio, ma ci dicono tanto sul carattere del popolo che li ha inventati, sulla sua lingua e sulla sua cultura.

 2 Ci sono dei modi di dire, delle espressioni, dei proverbi italiani che ti piacciono in modo particolare o che ti hanno colpito? Scrivine almeno 3.

 3 Ora lavora con due compagni. Scambiatevi le liste e cercate di spiegare il significato delle espressioni che avete scelto, se gli altri non le conoscono.

 4 Osserva i disegni poi leggi i proverbi. A quali proverbi si riferiscono i disegni?

5 Leggi nuovamente i proverbi e abbinali alle spiegazioni.

1 A mali estremi, estremi rimedi.
2 A ognuno la sua croce.
3 Aiutati che il Ciel ti aiuta.
4 Al cuore non si comanda.
5 Batti il chiodo finché è caldo.
6 Chi è causa del suo mal pianga se stesso.
7 Chi la dura la vince.
8 Chi s'accontenta gode.
9 Imparare una nuova lingua è come acquistare una nuova anima.
10 Mogli e buoi dei paesi tuoi.
11 Tanto va la gatta al lardo che ci lascia lo zampino.
12 Tra il dire e il fare c'è di mezzo il mare.

a A tutti tocca qualche dolore, preoccupazione, problema.
b I sentimenti non prendono ordini, ad esempio non si può controllare l'amore.
c Quando si corrono rischi perché si ripetono azioni pericolose o moralmente scorrette arriva un momento in cui si deve pagare per quanto fatto.
d Se il problema è molto grave, estremo, anche il rimedio deve essere della stessa gravità, molto drastico.
e Meglio un marito o una moglie del tuo stesso paese.
f Come il fabbro lavora il ferro quando è caldo e quindi tenero, bisogna approfittare delle situazioni favorevoli e non lasciar scappare le occasioni.
g Chi ha causato da solo situazioni che lo danneggiano deve solo rimproverare se stesso.
h Chi insiste con fermezza per raggiungere uno scopo alla fine riesce nel suo intento.
i Chi nella vita non è troppo ambizioso e non si dà obiettivi troppo impegnativi, è più facilmente soddisfatto di ciò che riesce a ottenere.
j Imparare una nuova lingua significa avere la possibilità di conoscere l'anima di una nazione, di un popolo, la sua civiltà, di scoprire un mondo nuovo.
k Se una persona si sforza a superare le difficoltà, anche gli altri saranno più disponibili.
l È molto diverso pensare una cosa e realizzarla, la distanza tra i due momenti è grande.

d											
1	2	3	4	5	6	7	8	9	10	11	12

6 Quali proverbi useresti nelle seguenti situazioni?

1 Uno studente sta facendo un esame ed è disperato perché pensa di non sapere rispondere. Il professore cerca di incoraggiarlo.
2 Il tuo partner fa sempre grandi promesse che non mantiene mai.
3 Un giovane di 20 anni chiede in sposa una donna di 60.

7 Ascolta l'intervista e indica se le affermazioni sono vere o false.

		Vero	Falso
1	Nella vita quotidiana Linuccio Pederzani usa spesso il dialetto.	☒	☐
2	I proverbi non gli interessano.	☐	☐
3	Certe espressioni dialettali rischiano di scomparire.	☐	☐
4	I proverbi rappresentano un mondo che non c'è più.	☐	☐
5	Nei suoi libri Linuccio Pederzani afferma che la realtà di quel tempo era migliore di quella di oggi.	☐	☐
6	I giudizi sulla donna espressi nei proverbi sono spesso negativi.	☐	☐
7	Dove vive Linuccio Pederzani la lingua principale è ancora il dialetto.	☐	☐
8	Parlare dialetto è un modo per far sentire agli altri la superiorità di chi ha studiato.	☐	☐

8 Ascolta nuovamente l'intervista e prendi appunti completando gli schemi.

Con i suoi libri l'autore vuole...
I proverbi sono...
Nel mondo dove vive Linucccio Pederzani il dialetto...

9 ▶▶ Alla scoperta della lingua Completa il testo che riassume una parte dell'intervista.

La persona intervistata .... in un paese dove si .... ancora dialetto.
Pensa che se .... italiano in bar, le persone che frequenta .... questo un atteggiamento snob, tipico di chi vuol far sentire la propria superiorità perché .... libri sui proverbi e i modi di dire perché rientrano nel suo modo di esprimersi e pensa di poter .... in questo modo il proprio contributo per mantenere vivi i proverbi.
Il mondo rappresentato dai proverbi non esiste più, è un mondo contadino preindustriale.
L'intervistato crede che i proverbi .... la voce della storia.

10 Quando si parla, spesso si usano parole o espressioni che servono per collegare le varie parti del discorso per renderle più chiare a chi ascolta, ma che aiutano anche chi parla a esprimersi meglio. A differenza di quando si scrive, quando si parla normalmente molte volte si usano numerosissime parole superflue. A volte invece si ha bisogno di parole che aiutino nella comunicazione. Leggi le espressioni seguenti, le conosci tutte?

Per prendere tempo
- dunque
- allora
- dove eravamo

Per sottolineare o modificare quanto detto
- in realtà
- a dire la verità
- comunque

Per attirare l'attenzione
- guarda / guardi / guardate
- ascolta / ascolti / ascoltate
- aspetta / aspetti / aspettate un momento
- senta scusi

Per cambiare la direzione di un discorso sgradito o pericoloso
- in realtà il problema è un altro
- bisogna considerare anche...

Per diminuire la forza di un'affermazione
- secondo me
- credo di poter dire che
- a mio avviso
- mi sembra che

Per spiegare e confermare
- cioè
- infatti
- ad esempio
- praticamente
- in altre parole
- volevo dire

11 Lavora con un compagno. A turno lo studente A inventa una storia che può concludersi con un proverbio. Lo studente B cerca di indovinare di che proverbio si tratta.

12 Ora scrivi la storia che hai inventato; alla fine cerca di ricordare come l'hai raccontata e nota le differenze tra quanto hai detto e quanto hai scritto.

13 Quando si commettono errori spesso è a causa di distrazione. Il momento della correzione può servire a rendere più consapevoli delle proprie conoscenze. Se si riesce a correggere da soli i propri errori, aumentano le probabilità di non rifarli. Lavora con un compagno. Scambiatevi le vostre storie e correggetele. Utilizzate la scheda proposta.

R	Registro	GR	Grammatica
P	Punteggiatura	L	Lessico
V	Manca una parola	O	Ortografia
X	Parola superflua da eliminare	OP	Ordine delle parole

14 Adesso confrontate le vostre correzioni. Ognuno dovrà cercare di correggere gli errori segnati dal compagno, seguendo le indicazioni fornite dai simboli della tabella.

15 Oggi i giovani non usano proverbi e il loro italiano è ricco di una cultura diversa da quella dei loro nonni. Quale? Leggi rapidamente il testo tratto da *Jack Frusciante è uscito dal gruppo* e cerca di rispondere alla domanda.

DALL'ARCHIVIO MAGNETICO DEL SIGNOR ALEX D.
Questa domenica è la giornata più brutta della mia vita. Di solito il sabato sera vado a letto tardi, o bevo troppo, e il giorno dopo fa un po' schifo perché sto pure male. Comunque, la domenica è il giorno peggiore della settimana. Non me la nominate nemmeno. Del resto lo dicevano anche Leopardi e Vasco. Va be', a Vasco non piacciono neanche i lunedì, ma insomma. Okay, sto malissimo, ma in modo diverso dal solito... Mi viene in mente Aidi che dice che è meglio per tutti e due se non ci sentiamo più e io non riesco a rispondere niente, spalanco la bocca col cuore che mi scoppia e non sono in grado di dire una parola.
Ecco, so solo che mi mancherebbero un sacco di cose di lei... sincerità... fantasia... e in più ho la certezza di aver camminato su dei bicchieri di cristallo con la grazia d'un elefante sommerso... Ma il fatto è che, giuro, non capisco dove ho sbagliato. L'ho ferita e non vedo come. O forse l'ho abbracciata troppo forte e adesso lei, tipo si deve difendere da me...
Ascolto Love Song dei Tesla e penso ad Aidi quando la canzone dice: "Love will find the way".
Mi sento una specie di buco in mezzo al petto, mi viene in mente che i miei sentimenti - i sentimenti di tutti - sono inutili, andranno persi, lacrime nella pioggia. Aidi non capirà mai quel che provo perché lei è trincerata nel suo fortino. "Ho paura che il nostro rapporto sarebbe troppo esclusivo, e ti voglio tantissimo bene ma ho paura di dare." Potrebbe dirmelo. Perché lei ha un altro passato, un altro alfabeto, altre rime la fanno sorridere. Siamo irrimediabilmente diversi, ed è bello incontrare gente diversa, ma forse è impossibile capirla fino in fondo. Come in quella canzone incredibile dei Cure dove lei è bellissima e il povero la guarda ammirato e lei si sente offesa e Robert Smith dice: "Ecco perché ti odio".

[Enrico Brizzi, *Jack Frusciante è uscito dal gruppo*, Tascabili Baldini e Castoldi, Milano 1996]

OPERETTE MORALI
DI
GIACOMO LEOPARDI.

EDIZIONE CRITICA
AD OPERA
DI
FRANCESCO MORONCINI.

I.

BOLOGNA.
LICINIO CAPPELLI.

16 Leggi nuovamente il testo e rispondi alle domande.

1 Chi è Alex D.?
2 Chi è Aidi?
3 Com'è il loro rapporto?
4 Quali sono gli elementi che sembrano comporre il mondo di Alex?

17 Lavora con un compagno. Confrontate le vostre risposte e cercate di arrivare a un accordo se avete risposto in modo diverso.

18 Il brano tratto da *Jack Frusciante è uscito dal gruppo* è ricco di modi di dire. Prova a risolvere il cruciverba senza rileggere il testo.

Di solito il sabato sera vado a letto tardi, o bevo troppo, e il giorno dopo fa un po' schifo perché sto **2 vert.** male. Non me la nominate **3 oriz.**.
Va **4 vert.** a Vasco non piacciono neanche i lunedì, ma **6 vert.**. **7 oriz.**, sto malissimo, ma in modo diverso dal solito...
Ecco, so solo che mi mancherebbero un **5 oriz.** di cose di lei... sincerità... fantasia... Ma il fatto è che, giuro, non capisco dove ho sbagliato. O forse l'ho abbracciata troppo forte e adesso lei, **1 vert.** si deve difendere da me...

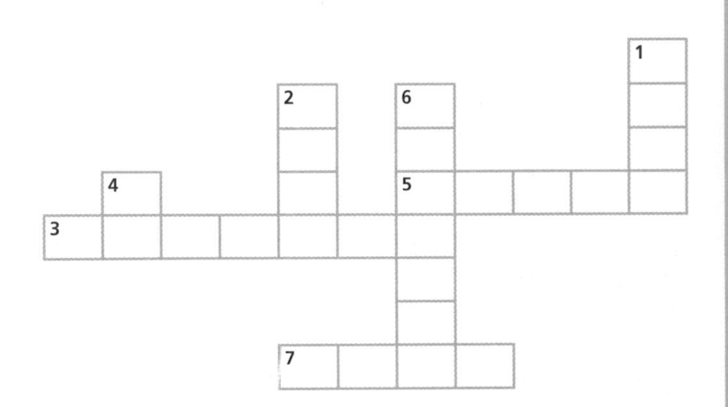

lessico

1 In italiano ci sono molte parole di origine straniera e altre che sono entrate direttamente nell'uso così come sono nella lingua originale, senza essere modificate. Ma questo non è un fenomeno recente. Osserva i risultati della ricerca di parole di origine araba fatta con un dizionario su CD-Rom, il DISC.

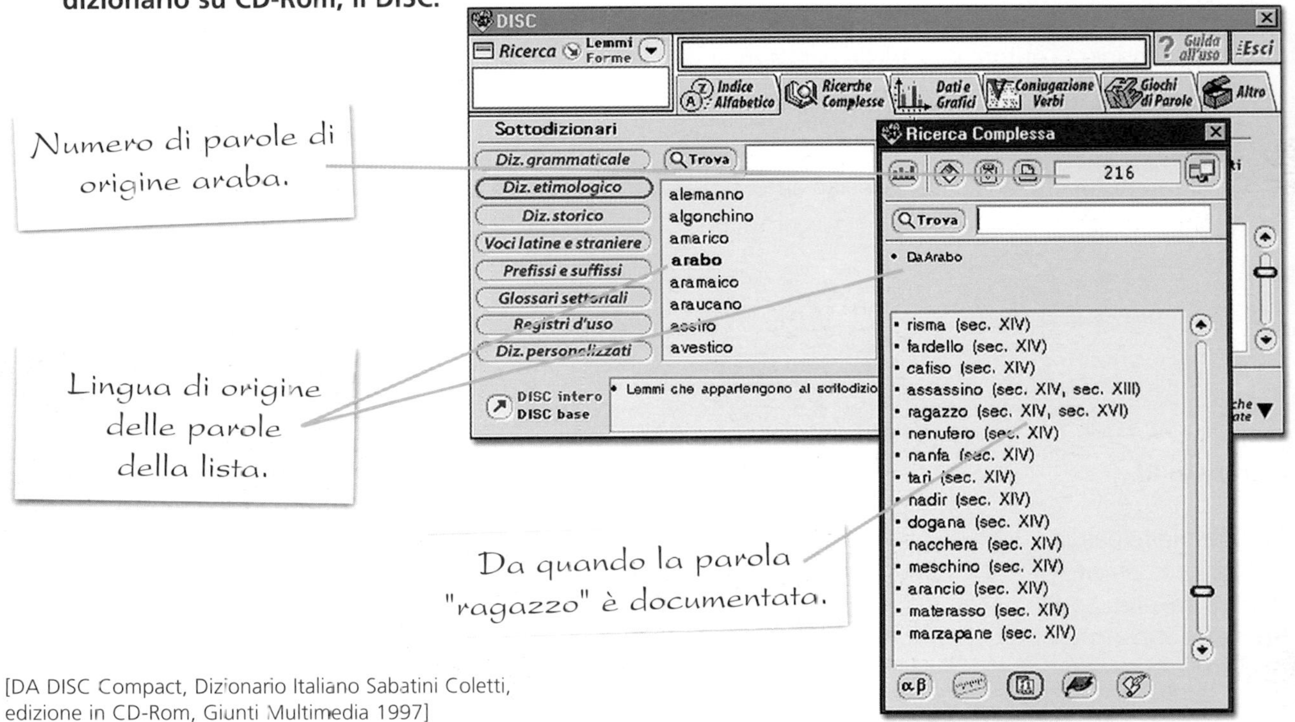

[DA DISC Compact, Dizionario Italiano Sabatini Coletti, edizione in CD-Rom, Giunti Multimedia 1997]

2 Ma oggi sicuramente la maggior parte dei termini stranieri vengono dall'inglese. Guarda la copertina del libro e leggi il titolo. Di che cosa pensi che tratti il libro?

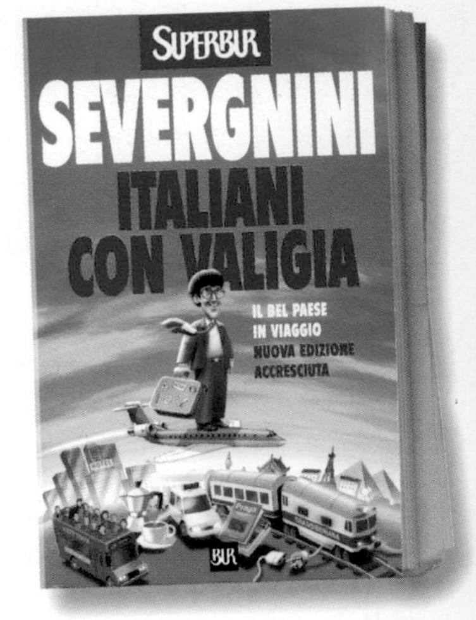

3 Leggi rapidamente il testo seguente e poi di' a un compagno quale opinione ti sei fatta di alcuni fenomeni linguistici dell'italiano d'oggi.

SOTTILE COMPLESSO D'INFERIORITÀ

Noi italiani non siamo soltanto convinti che l'inglese sia efficace. Crediamo sia *importante*. Chiamare un uomo d'affari *vip*, *manager* o *executive*, in Italia, viene giudicata una cortesia. Questi termini dovrebbero invece rientrare nella categoria della ingiuria. La parola *vip* ormai viene scritta sulle tessere-sconto, e pronunciata solo nei villaggi-vacanze; *manager* è il buon vecchio capufficio, quello che nasconde il temperino nel cassetto e guarda le gambe alle segretarie; l'*executive* è quel signore che appare sulla pubblicità delle compagnie aeree, abbandonato sulla pista di un aeroporto, e sorride ebete, di solito con il vestito sbagliato indosso e una valigetta ventiquattrore in mano. Un'ultima parola che segnalo al pubblico obbrobrio - e invito, una volta all'estero, a usare con un minimo di cautela - è il vocabolo *top*. Nell'Italia del melodramma e dell'esagerazione tutto è *top*: modelle (*top models*), uomini d'affari (*top managers*), posti a sedere (*top class*). Il fatto sarebbe insopportabile, se ogni tanto la sorte non pensasse ad aggiustare le cose. È accaduto a un negozio di abbigliamento in Liguria, che ha deciso di chiamarsi "Top One". Chi ha disegnato l'insegna, però, ha scritto due parole troppo vicine: Il Top One è diventato il Topone. I clienti, quando devono scegliere una giacca, dicono proprio così: "Proviamo dal Topone". Al proprietario è andata bene: un Topone è comunque meglio di un Grosso Ratto.

[Beppe Severgnini, *Italiani con valigia*, SuperBur, Milano 1999; il brano è tratto da p. 79]

4 Leggi più attentamente il testo e rispondi alle domande.

1 Che cosa pensano gli italiani dell'inglese?

....

....

2 Chi è un *executive* nella visione dell'autore?

....

....

3 Come considera l'autore l'uso delle parole inglesi in italiano?

....

....

4 Quali caratteristiche dell'Italia associa l'autore all'uso della parola *top*.

....

....

5 Cosa è successo in Liguria?

....

....

Il prefisso RI-

È un elemento che si mette all'inizio di una parola e ne modifica il significato.

Ci sono molte parole, verbi e loro derivati, formati dal prefisso **RI-**.
RI- indica soprattutto una ripetizione: (*scrivere* > *riscrivere*).

Alcune parole sono formate con il prefisso RE- che ha lo stesso significato di RI-
Ad esempio: *reinserire*, *reinterpretare*.

A volte, però, le parole che cominciano per ***ri-*** hanno un significato completamente diverso rispetto alla forma senza ***ri-*** e il prefisso ***ri-*** non indica una ripetizione (*riposare*).
Altre volte ***ri-*** all'inizio della parola non è un prefisso, ma solamente le prime due lettere della parola e senza ***ri-*** la parola non ha significato (*ridere*, *ricordare*).

5 Osserva i verbi che seguono, poi completa la tabella.

risparmiare
riempire *riuscire* ricordare **riconoscere**
ritrovare **ridare** ripetere **ricevere** richiamare
rivedere **rispondere** riposare
ricominciare *riascoltare*
ridere riscrivere

ri- = ripetizione	**ri-** = parole con significato diverso dall'originale	**ri-** = senza ***ri-*** la parola non ha significato
riascoltare		

6 La lingua della grammatica a volte crea problemi, ma spesso è indispensabile per poter capire e capirsi più rapidamente. Cerca nel testo che segue i diversi elementi per completare le tabelle. Se ti trovi in difficoltà utilizza il dizionario per controllare i significati.

Perché Jack Frusciante, chitarrista dei Red Hot Chili Peppers, è uscito dalla band proprio quando stava arrivando il successo? A chiederselo è il "vecchio Alex", ex studente modello conteso da tutte le compagne di scuola e disperatamente coinvolto in una storia d'amore senza baci e senza sesso con Aidi.

[Da quarta di copertina di Enrico Brizzi, *Jack Frusciante è uscito dal gruppo*, A. Mondadori Editore, Milano 1996]

aggettivo	vecchio
articolo	
avverbio	
congiunzione	
nome proprio	
nome o sostantivo	
preposizione (semplice o articolata)	
pronome diretto	
pronome indiretto	
(proposizione) coordinata	
(proposizione) subordinata	
verbo	
complemento oggetto o diretto	
complemento indiretto	
soggetto	

7 In alcuni casi non è possibile individuare degli esempi nel testo. Riesci a trovarli tu?

grammatica

In quest'unità introduttiva ti proponiamo alcuni esercizi per ripassare diverse strutture grammaticali che si affrontano in livelli più bassi.

I pronomi

1 Completa le frasi con il pronome appropriato.

1 Quanti amici avete in Italia? — Non lo so, ma ......ne.......... abbiamo molti.
2 Hai mai visto Pisa? — Sì, ... sono stato l'anno scorso.
3 Ti sei ricordato di invitare tua mamma a cena? — No, non .... ho ancora detto.
4 Il direttore è arrabbiato con te! — Davvero, a .... non ha detto niente.
5 Hai fatto la proposta di acquisto alla ditta CIS? — Ho scritto la lettera, ma non .... ho ancora mandata.
6 Sai, ho una relazione con tua sorella da un anno? — Che bello! Perché non .... hai parlato prima?
7 Ci sono diverse mostre interessanti in questo periodo in Italia! — È vero, ... ho già viste 3.
8 C'erano molti errori nella mia composizione? — Sì, ... erano troppi.
9 Vuoi un caffè? — Grazie, ma .... preferisco decaffeinato.
10 Mi mandi una cartolina dal Kenya? — Va bene .... mando. Ma non .... arrabbiare se .... dimentico!
11 Sai che devo andare dal medico. Ho paura! — Dai, ... accompagno io.
12 Chi ti ha regalato quel maglione? — Non è mio .... ha prestato Fabio.
13 Mi dà un altro bicchiere di vino? — Guardi, ha già bevuto troppo. Non .... posso dare più.
14 Sai che Matteo è molto bravo con i computer? — Sì, ... intende molto più di me!

2 Completa la frase con il pronome relativo.

1 La città in ....cui....... sono nato è nel Nord Italia.
2 .... non vuole sentire la lezione può uscire.
3 Vorrei mangiare nuovamente la pizza .... hai fatto ieri. Quando mi inviti?
4 La donna, di .... non si hanno notizie da ieri, forse è fuggita con l'amante.
5 Credo che comincerò a fare un po' di ginnastica .... non mi farà sicuramente male!
6 Elias Canetti, il .... nome sembrerebbe italiano, era un ebreo sefardita, vissuto in varie parti d'Europa, ma nato in Bulgaria.
7 Ti ricordi il nome dell'impiegato .... hai consegnato la lettera?
8 È un collega su .... puoi sempre contare.

3 Metti il tempo verbale corretto. Scegli uno dei verbi del riquadro.

1 Ieri ....ero.......... appena ...arrivato... in piazza quando .... a piovere.
2 Mi .... circa 15 anni fa. Come passa il tempo!
3 .... fare molte cose oggi, ma sono stanchissimo.
4 Ieri sera, non appena .... in casa, ... che c' .... i ladri.
5 Mentre gli studenti .... l'esame scritto, il professore .... di scrivere un suo saggio.

6 Cristina, ... freddo, se non ti .... la giacca a vento.

7 Che schifo! .... da questa mattina.

8 Quando .... un lavoro che ti ...., ti .... meglio.

9 Garibaldi .... nel XIX secolo.

10 Ieri sera Michela .... appena .... con la macchina, quando un poliziotto le .... una multa, perché non .... le cinture di sicurezza allacciate.

laurearsi, partire, mettere, fare, capire, dovere, finire, cominciare, piacere, entrare, essere, trovare, piovere, prendere, dare, sentire, vivere, avere

4 Correggi i verbi nelle frasi seguenti.

1 Se potessi, prendessi due mesi di ferie.

Se potessi, prenderei ....

2 Penso che Kaled è tunisino.

....

3 È probabile che domani fece bello.

....

4 Bisogna che tutti voi studierete meglio la grammatica.

....

5 Credo che a Roma vivono circa tre milioni di persone.

....

6 Prima che lei ti vede, nasconditi dietro quell'albero!

....

7 Nel caso che non ve lo ricordate, dovete essere dal dentista alle 6.

....

8 Se tu vorresti, potresti trovare un lavoro più interessante.

....

9 Se hai il mal di testa, prenda un'aspirina, ti farà bene.

....

10 Ci piacerebbe che domani verrete al cinema con noi.

....

11 Simona e Roberto non sono in casa. Credo che sono già partiti per Monaco.

....

12 Credevo che Mario sia di Venezia.

....

civiltà

Pronto, chi scrive?

1 Comunicare, soprattutto da grandi distanze, è oggi diventato estremamente più facile. Il telefono cellulare, per esempio, ha reso possibile, per tutti, comunicare in qualsiasi momento e situazione. Secondo te questo tipo di tecnologia, insieme a tutte le altre, avvicina veramente le persone? Discutine con i compagni.

2 Leggi le frasi che seguono poi riscrivi quello che hai letto per intero.

6 proprio 3mendo ....

Quando non C 6 mi sento Xsa ....

Adesso gira il libro in senso orario di 45° e prova a indovinare cosa significa il simbolo che segue....... 

Hai mai scritto una frase simile usando numeri o simboli matematici o hai mai usato i simboli della punteggiatura per comunicare con qualcuno?
Leggi il brano che segue.

OGNI giorno in Italia vengono scambiati oltre dieci milioni di **SMS** (**S**hort **M**essage **S**ervice), i messaggini che vengono trasmessi attraverso i telefonini e sono visualizzati sul display del cellulare. I messaggini non possono superare, con la tecnologia attuale, i 160 caratteri e costano poco. I maggiori utilizzatori degli SMS sono i giovani tra i 16 e i 25 anni, ma sono anche usati sul lavoro, informalmente, tra colleghi o anche per comunicare orario e luogo di conferenze o incontri. È nata, così, una forma di scrittura abbreviata che utilizza, oltre alle abbreviazioni di parole e alle sigle, numeri, segni grafici e piccole immagini costruite con i segni grafici presenti sulla tastiera del cellulare. Queste piccole immagini sono chiamate Emoticons (abbreviazione di Emotion Icons, immagini che esprimono emozioni, sentimenti) o più comunemente "faccine".

3 Ecco qualche esempio tra i messaggini più semplici che si possono costruire. A gruppi provate a interpretarli. Quanti caratteri si sono risparmiati usando questo linguaggio?

C 6 scem8?:-)

Xché non vuoi venire alla festa?:-(

Quando T C metti 6 proprio 3mendo.

Mandami 1 msg, dimmi qcosa.

Mi sento xsa.

TVB

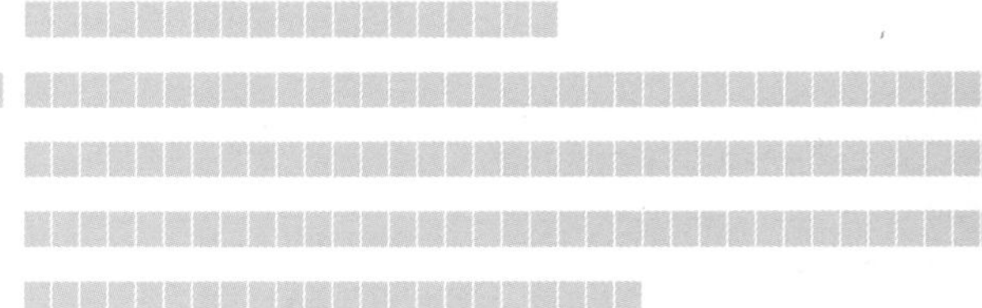

Totale caratteri ▢▢▢ Totale caratteri ▢▢▢

4 Adesso, anche con l'aiuto degli Emoticons, prova a scrivere qualche messaggino. Ricorda che non puoi usare più di 160 caratteri!

Gli Emoticons più diffusi

:-)	Sono felice	O:-)	Angelo	:-*	Bacio
:-(	Sono triste	:-	Indifferenza	:-x	Bocca cucita
:-P	Linguaccia	:-O	Ohi!	:'(	Lacrima
;-)	Occhiolino	:-D	Sorriso	;-	Ammiccamento

1 **In base al significato associa le frasi contenute nelle due colonne per formare dei proverbi o modi di dire della lingua italiana.**

1 Chi va piano
2 Meglio un uovo oggi
3 A cavallo donato
4 Il buon giorno
5 Chi troppo vuole
6 A pagare e a morire
7 Con le buone maniere
8 Non c'è peggior sordo
9 Meglio soli
10 Chi ben comincia

a c'è sempre tempo.
b che male accompagnati.
c che una gallina domani.
d di chi non vuol sentire.
e è a metà dell'opera.
f non si guarda in bocca.
g nulla stringe.
h si ottiene tutto.
i si vede dal mattino.
l va sano e va lontano.

1	2	3	4	5	6	7	8	9	10
l									

..... / 9

2 **Completa le frasi con l'imperativo dei verbi nel riquadro e il pronome quando necessario.**

1 Non ho capito il tuo numero di telefono, ...ripetimelo..... più piano per favore.
2 Se non avete ancora visto l'ultimo film di Moretti .... a vedere, è molto bello.
3 Ho dimenticato di comprare il vino, ... tu tornando a casa.
4 Non .... quel vestito, non ti sta molto bene.
5 Paola .... di pagare il telefono. Oggi è l'ultimo giorno.
6 Gigi .... una mano per favore, non riesco ad aprire la caffettiera.
7 .... ad uscire altrimenti arriverete troppo tardi all'aeroporto.
8 Ragazzi non .... così forte, non riesco a studiare.
9 Mi raccomando, ... attenti alla strada e .... quando siete arrivati, altrimenti sapete che resto in pensiero.

ripetere, stare, andare, dare, mettere, telefonare, sbrigarsi, parlare, prendere, ricordarsi

..... / 9

3 **Riordina le seguenti frasi.**

1 è - arrabbiata - ho - motivo - il - non - Marta - per - si - capito - cui

....

2 ti - Venezia - ho - l' - albergo - ritrovato - di - di - cui - dell' - parlavo - indirizzo

....

3 crede - racconta - sempre - quali - storie - non - Alba - nessuno - alle

....

4 problemi - unica - miei - è - l' - alla - confido - Marta - i - quale - amica

....

..... / 4

4 **Metti a confronto le immagini e crea delle frasi usando i superlativi. Osserva l'esempio.**

1 Il cabernet è più invecchiato del merlot.
2 Il merlot è meno forte del cabernet......

Investi nel piacere del lusso e della velocità

Consuma poco e regalati la comodità in città per la tua famiglia

3 ....

4 ....

5 ....

6 ....

..... / 4

5 Rispondi alle domande utilizzando le forme del periodo ipotetico. Osserva l'esempio.

Cosa faresti se tu trovassi un portafoglio per la strada?
Esempio: Se trovassi un portafoglio lo porterei alla polizia, o telefonerei al proprietario.

Cosa faresti se...

1 tu trovassi un piccolo cane abbandonato?
Se ....

2 qualcuno ti seguisse per la strada?
Se..

3 tu incontrassi l'attore o l'attrice che preferisci per la strada?
Se ....

..... / 6

6 Completa la seguente E-mail con le forme del condizionale e del congiuntivo dei verbi contenuti nel riquadro.

Cara Barbara,
in questi giorni ero fuori città per lavoro e non ho potuto controllare la posta elettronica, così ho letto il tuo messaggio solo oggi. Peccato, se ..avessi saputo.. prima del tuo arrivo, ... a spostare il mio viaggio, o almeno .... un modo per tornare prima. È tanto tempo che non ci vediamo e .... veramente contenta di rivederti. Spero comunque che tu .... una bella vacanza qui a Venezia e che ci .... bel tempo. Mi .... che tu .... tornare, magari per Natale, così .... stare qualche giorno insieme ovviamente sei mia ospite, a casa mia sei sempre la benvenuta.
Ti abbraccio forte
Cecilia

stare, potere, stare (due volte), piacere, sapere, provare, cercare, trascorrere

..... / 8

NOME:
DATA:
CLASSE:

totale ..... / 40

1 Hai mai visitato queste città italiane? Dove ti piacerebbe andare? Lavora con un compagno. Preparate un itinerario per un viaggio tra le città italiane che vorreste visitare. Spiegate brevemente la ragione delle vostre scelte.

2 Le feste in Italia. Abbina le date alle feste.

1 GENNAIO

Pasqua

8 DICEMBRE

Epifania

26 DICEMBRE

25 APRILE

Capodanno

Ferragosto (Assunzione di Maria)

1 NOVEMBRE

Natale

2 GIUGNO

Lunedì dell'Angelo

MARZO APRILE

Santo Stefano

25 DICEMBRE

Anniversario della Liberazione

Ognissanti

6 GENNAIO

Festa del Lavoro

15 AGOSTO

1 MAGGIO

Festa della Repubblica

Immacolata Concezione

3 A piccoli gruppi confrontate le feste in Italia con quelle nel vostro paese.

4 C'è un'altra grande e antica festa in Italia il cui nome è sinonimo di allegria: il *Carnevale*. Leggi il testo che segue e completa la tabella.

Deriva da **carne levare**. Si riferisce al giorno precedente l'inizio della Quaresima (i quaranta giorni prima della Pasqua), in cui non si poteva più mangiare carne.

Storia del carnevale

Il carnevale è una festa contadina, che risale ai riti tradizionali della stagione invernale. L'esplosione di gioia e l'uso della maschera avevano la funzione di allontanare gli spiriti malefici. La maschera, infatti, rendendo l'uomo simile agli animali, gli dava un potere simbolico e temporaneo sugli animali sacri. Si pensa che la libertà sessuale, in uso durante il carnevale, abbia origine nei riti di fecondità della terra. La tradizione di bruciare un fantoccio richiama i sacrifici primitivi. Gli antichi romani si abbandonavano a festeggiamenti, che richiamano il carnevale odierno, durante i "Saturnali", feste dedicate al dio Saturno (divinità italica delle sementi), che iniziavano il 17 dicembre e si protraevano per sette giorni. Con il cristianesimo, il carnevale continuò ad essere celebrato, ma perse il suo contenuto magico e rituale. Durante il Medioevo, il clero tollerò le feste popolari, ad esempio la festa dei folli (feste popolari caratterizzate da celebrazioni di stravaganze, definite follie).
Tra i divertimenti più diffusi, i balli in maschera erano i più amati. Durante i secoli XV° e XVI° si diffusero le feste mascherate pubbliche e si rinnovarono alcune tradizioni. I romantici mostrarono un grande interesse per le manifestazioni popolari, ma ormai questi divertimenti erano stati profondamente ridimensionati e avevano perso il loro splendore. In Italia il carnevale è stato sontuosamente celebrato per secoli. Ancora oggi sono visibili alcuni tratti di quest'antica festa popolare, nel Carnevale di Venezia o nel Carnevale di Viareggio.

[Adattato da http://www.italiadonna.it/percorsitradizioni]

Pantalone è la caricatura del mercante, sospettoso e avaro.

Pulcinella è un contadino poverissimo, che non ha voglia di lavorare. Furbo e ingegnoso, impiega tempo ed energie, per trovare il modo di mangiare.

Arlecchino è un servitore poverissimo, che non ha i soldi neppure per rattoppare il proprio vestito, con stoffe dello stesso colore! Arlecchino, con la sua furbizia, cerca di sfuggire alle prepotenze dei ricchi e dei più forti.

Il carnevale nella storia

L'origine	
Ai tempi dei Romani	
Nel mondo cristiano	
Oggi	

5 Leggi nuovamente il testo e cerca di capire il significato delle parole sottolineate.

[Giandomenico Tiepolo, *Carnevale*]

6 Ora abbina le parole alle definizioni.

1	Riti	a	Pazzi
2	Malefici	b	Stranezze
3	Fecondità	c	Chiesa
4	Fantoccio	d	In modo ricco e elegante
5	Sacrifici	e	Cerimonie religiose
6	Clero	f	Manichino, pupazzo, figura umana di diversi materiali
7	Folli	g	Offerte di vittime alla divinità
8	Stravaganze	h	Ridotti
9	Ridimensionati	i	Cattivo
10	Sontuosamente	j	Capacità di procreare, di riprodursi

7 Nostalgia della maschera.

1 Il narratore racconta di una sua mascheratura al carnevale: prova a visualizzare la scena di una persona mascherata da "tavola" e confronta con la classe quello che tu immagini come risultato.
2 L'intervistato ha chiaramente nostalgia dei vecchi carnevali. Secondo te, qual è la frase chiave che spiega meglio le ragioni della nostalgia? È una trasformazione vera, quella del carnevale, o è piuttosto una trasformazione del narratore, che si sente invecchiato?

I veneziani "mangiano" le parole...
Benetton, Zonin, Cardin, Corner, i veneziani da sempre tendono ad eliminare l'ultima vocale. Anche in questa registrazione che pure è fatta in italiano la base veneziana emerge e ci sono molte parole in cui l'ultima vocale è assente o sfumata. Individuane almeno 4, poi confronta la tua scelta con la classe:

a ....

b ....

c ....

d ....

...ed hanno problemi con le doppie.
Notoriamente i veneziani ignorano le doppie: anche questo signore tende a sfumarle molto, e in un caso proprio le ignora. Ascolta questo frammento: *non c'era alcuna organizzazione e tutto quanto*
Ma in un caso si ha un effetto sorprendente: usano talmente poco le doppie, i veneziani, che quando vogliono far risaltare una parola raddoppiano una consonante, anche se non ce n'è ragione: ascolta ancora, e individua quale parola viene modificata: ....

8 Lavora con un compagno. Osservate le figure e provate a immaginare di che cosa si tratta.

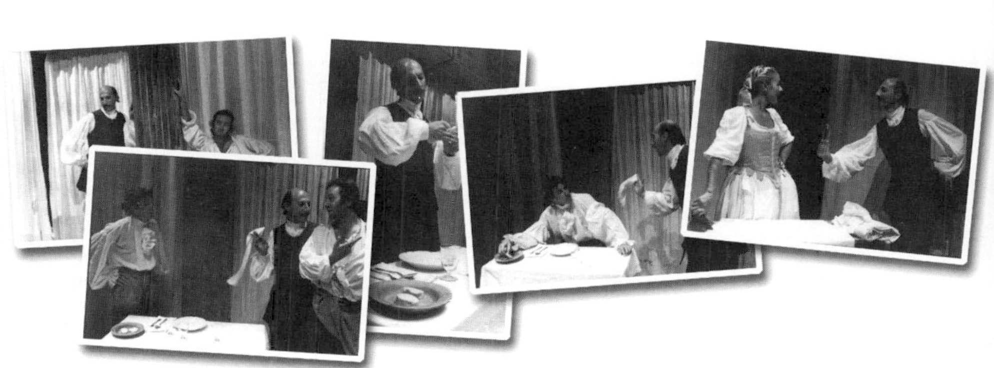

[Carlo Goldoni]

9 Ora ascolta la presentazione che Margherita fa alla sua classe e prendi appunti.

1 L'autore.

....

....

....

2 Il titolo dell'opera.

....

....

....

3 La situazione di Venezia in quel periodo.

....

....

....

4 La storia raccontata nell'opera.

....

....

....

10 Ascolta la scena e rispondi alle domande.

- Chi sono i personaggi?
- Cosa succede?

11 Ora ascolta nuovamente la scena e metti in ordine ciò che avviene.

Scena diciasettesima

Mirandolina con un foglio in mano, e detto.

Mirandolina: Signore. (*Mestamente.*)
Cavaliere: Che c'è, Mirandolina?
Mirandolina: Perdoni. (*Stando indietro.*)
Cavaliere: Venite avanti.
Mirandolina: Ha domandato il suo conto; l'ho servita. (*Mestamente.*)
Cavaliere: Date qui.
Mirandolina: Eccolo. (*Si asciuga gli occhi col grembiale, nel dargli il conto.*)
Cavaliere: Che avete? Piangete?
Mirandolina: Niente, signore, mi è andato del fumo negli occhi.
Cavaliere: Del fumo negli occhi? Eh! basta... quanto importa il conto? (*legge.*) Venti paoli? In quattro giorni un trattamento sì generoso: venti paoli?
Mirandolina: Quello è il suo conto.
Cavaliere: E i due piatti particolari che mi avete dato questa mattina, non ci sono nel conto?
Mirandolina: Perdoni. Quel ch'io dono, non lo metto in conto.
Cavaliere: Me li avete voi regalati?
Mirandolina: Perdoni la libertà. Gradisca per un atto di... (*Si copre, mostrando di piangere.*)
Cavaliere: Ma che avete?
Mirandolina: Non so se sia il fumo, o qualche flussione di occhi.
Cavaliere: Non vorrei che aveste patito, cucinando per me quelle due preziose vivande.
Mirandolina: Se fosse per questo, lo soffrirei... volentieri... (*Mostra trattenersi di piangere.*)
Cavaliere: (Eh, se non vado via!). (*Da sé.*) Orsù, tenete. Queste sono due doppie. Godetele per amor mio... e compatitemi... (*S'imbroglia.*)
Mirandolina: (*Senza parlare, cade come svenuta sopra una sedia.*)

Cavaliere: Mirandolina. Ahimè! Mirandolina. È svenuta. Che fosse innamorata di me? Ma così presto? E perché no? Non sono io innamorato di lei? Cara Mirandolina... Cara? Io cara ad una donna? Ma se è svenuta per me. Oh, come tu sei bella! Avessi qualche cosa per farla rinvenire. Io che non pratico donne, non ho spiriti, non ho ampolle. Chi è di là? Vi è nessuno? Presto?... Anderò io. Poverina! Che tu sia benedetta! (*Parte, e poi ritorna.*)

Mirandolina: Ora poi è caduto affatto. Molte sono le nostre armi, colle quali si vincono gli uomini. Ma quando sono ostinati, il colpo di riserva sicurissimo è uno svenimento. Torna, torna. (*Si mette come sopra.*)

Cavaliere: (*Torna con un vaso d'acqua.*) Eccomi, eccomi. E non è ancor rinvenuta. Ah, certamente costei mi ama. (*La spruzza, ed ella si va movendo.*)
Animo, animo. Son qui cara. Non partirò più per ora.

[Carlo Goldoni, *La locandiera*, Atto II Scena 17]

- [ ] Il Cavaliere ritorna per rianimare Mirandolina e le promette di non partire per il momento.
- [1] Mirandolina porta il conto al Cavaliere.
- [ ] Il Cavaliere riflette e crede che Mirandolina possa essere innamorata di lui.
- [ ] Il Cavaliere pensa che lei stia piangendo a causa del fumo respirato durante la preparazione dei piatti.
- [ ] Il Cavaliere si accorge che Mirandolina sta piangendo.
- [ ] Mirandolina non vuole farsi pagare per due piatti speciali cucinati per il Cavaliere.
- [ ] In realtà Mirandolina non è svenuta ed è contenta di essere riuscita a fare innamorare il Cavaliere.
- [ ] Mirandolina sviene.

12 ▶▶ **Alla scoperta della lingua** **Ascolta nuovamente due frasi della presentazione di Margherita e completale.**

1 Oggi vi presento un autore che forse non conoscete ancora, ma basta che ....

.... un qualsiasi testo di letteratura o di teatro italiano e lo troverete nominato mille volte.

2 Dunque, basta .... la data in cui Goldoni compose *La locandiera*, il 1752 per capire in che periodo ci troviamo.

- Qual è il soggetto delle due frasi con *basta*?
- Com'è il verbo che segue *basta* nel primo caso? Che modo verbale è?
- E nel secondo caso?

13 ▶▶ **Alla scoperta della lingua** **Ascolta nuovamente una frase della presentazione di Margherita e completala.**

È importante affinché .... apprezzare meglio l'opera.

Dopo *affinché* ci vuole il congiuntivo.
Ricordi altre espressioni o parole che richiedono il congiuntivo?

14 Ora prepara una breve presentazione di una festa popolare nel tuo paese. Prendi appunti riguardo:

- al nome della festa
- al periodo dell'anno in cui si svolge
- all'origine o storia
- a che cosa si fa

15 Presenta alla classe quello che hai preparato.

lessico

 **1 Durante l'anno in varie occasioni si regala qualcosa a persone a cui si vuol bene. Completa la tabella e poi intervista un compagno.**

	in Italia	nel tuo paese	tu	un tuo compagno
per Natale	molto spesso			
per Pasqua	raramente, poche persone			
per San Valentino	molto spesso			
per il compleanno	molto spesso			
per l'anniversario di nozze	spesso, ma di solito solamente il marito alla moglie e viceversa			
per l'onomastico	raramente			
per la Befana	spesso			
per la festa della mamma o del papà	spesso			
per la festa della donna	spesso un fiore: la mimosa			
in altre occasioni				

Ogni giorno dell'anno ha un santo o un avvenimento religioso cui è dedicato.
Ad esempio il 26 dicembre è il giorno di Santo Stefano. Per tutte le persone che si chiamano Stefano (o Stefania) è un giorno di festa secondo la Chiesa.

 **2 Completa gli schemi come nell'esempio.**

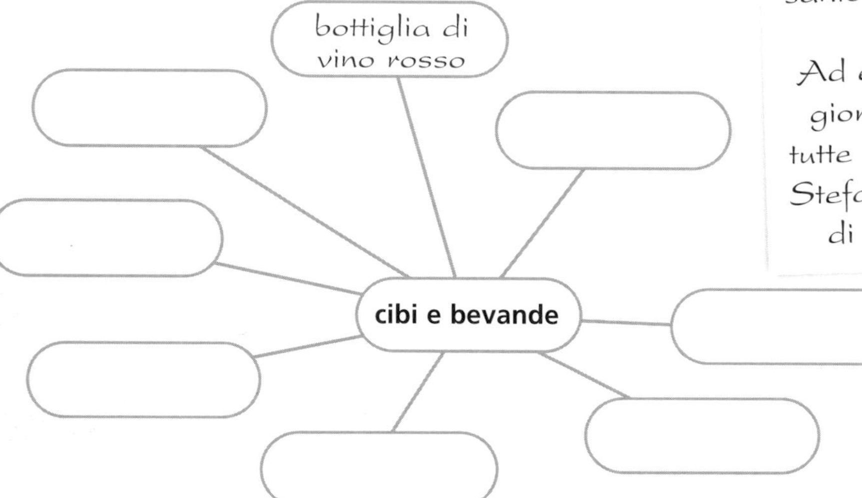

Ora crea altri schemi a ragno simili, ognuno con al centro una delle seguenti scritte: *vestiti e accessori, prodotti per la cura della persona, oggetti per la casa, prodotti per il tempo libero*. E completali.

 **3 Fa' una lista di regali che ti piacerebbe fare a persone care.**

 **4 Ora lavora con un compagno. A turno cercate di indovinare i regali che l'altro ha pensato di fare. Fate domande del tipo:**

- Per chi è?
- Di che genere è? È un oggetto per la casa?
- Serve per...?

5 Ascolta l'intervista e rispondi alle domande.

1 Che cosa si vende soprattutto nel periodo di Natale?
2 Cos'è successo con l'introduzione dell'euro?
3 Quali sono i regali preferiti per i bambini?
4 Quali sono i regali più consueti per gli sposi?
5 Cos'è la lista di nozze?
6 Quali sono i vantaggi della lista di nozze?
7 Quali sono i regali più consueti per il compleanno?

6 Completa il cruciverba con il nome delle feste.

Orizzontali:

3. È una festa inventata dal marketing, si festeggia il 18 marzo, giorno di San Giuseppe.
5. Se non si festeggia quell'anniversario il matrimonio è in crisi.
7. Ciascuno ci tiene che gli altri si ricordino del suo…
8. È la festa d'inverno, con tutta la famiglia riunita.
9. Un vescovo dei primi secoli è diventato protettore degli innamorati.

Verticali:

1. È una festa che si celebra poco, ormai, perché gli italiani sono sempre meno religiosi.
2. I bambini ricevono una calza piena di dolciumi o di carbone (ma è finto!).
4. Continua la tradizione dell'antica festa della fertilità e ancora è festeggiata con un uovo.
6. È una festa storica, celebrata l'8 marzo, ma oggi è solo un'occasione di vendite.

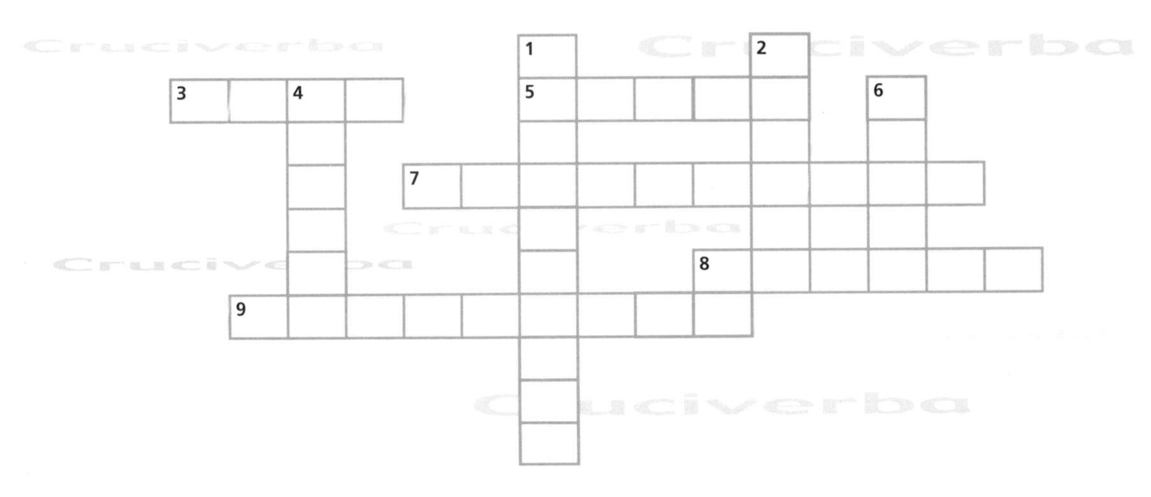

7 Massimo ha cercato un regalo per un amico. Ha deciso di fare un acquisto su Internet. Leggi i testi. Sei d'accordo con la sua scelta? Ti sembra un bel regalo?

V-shirt S.Virgilio
Nera, in puro cotone e a manica corta. Diventa anche tu il bello di Internet con la più esclusiva, la più originale, la più spiritosa delle T-shirt. Produzione limitata, solo 300 capi numerati con certificato di garanzia.

V-shirt Classic
Nera, in puro cotone e a manica corta. Un capo giovane, confortevole, adatto a tutte le stagioni, ma assolutamente indispensabile per un'estate al top.

Zaino Virgilio
Prodotto di altissima qualità in nylon nero, resistente, dotato di due praticissime tasche con chiusura lampo. Il tuo prossimo compagno di viaggio.

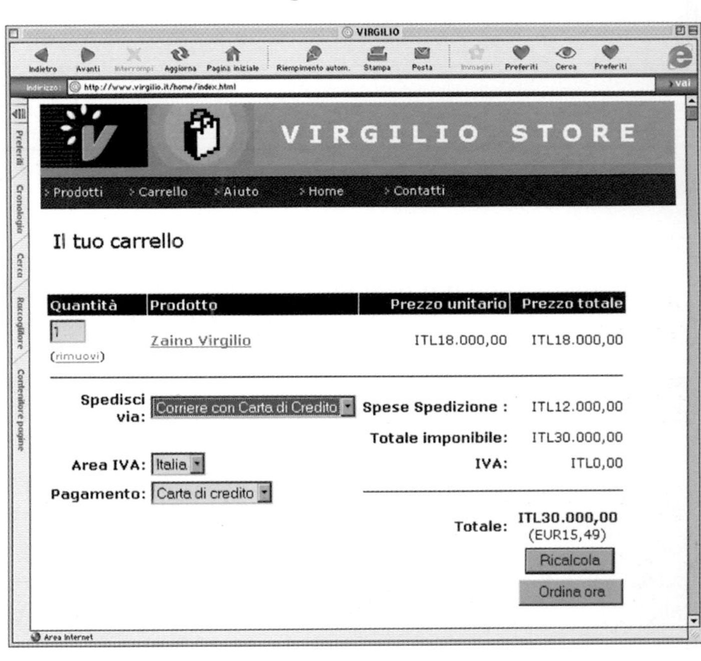

Marsupio Free Rider

In nylon nero e con 5 tasche con chiusura lampo. Per avere sempre tutto a portata di mano. Un must del nuovo Web lifestyle, dinamico e sempre in movimento come te.

Sunglasses

Montatura nera e lenti infrangibili arancioni. Scegli gli occhiali da sole più trendy del momento, per guardare il mondo in arancione.

Orologio Surfing Time

Al quarzo e con cinturino in caucciù nero, è l'orologio dell'ultima generazione. Design avveniristico e personalizzazione unica. Lo strumento indispensabile per chi vuole essere padrone del proprio tempo su Internet.

IL RESTO DELLA COLLEZIONE

8 Subito dopo aver fatto l'ordine, Massimo si accorge che questo mese ha già speso tutta la disponibilità della sua carta di credito e decide di mandare un e-mail al negozio virtuale.

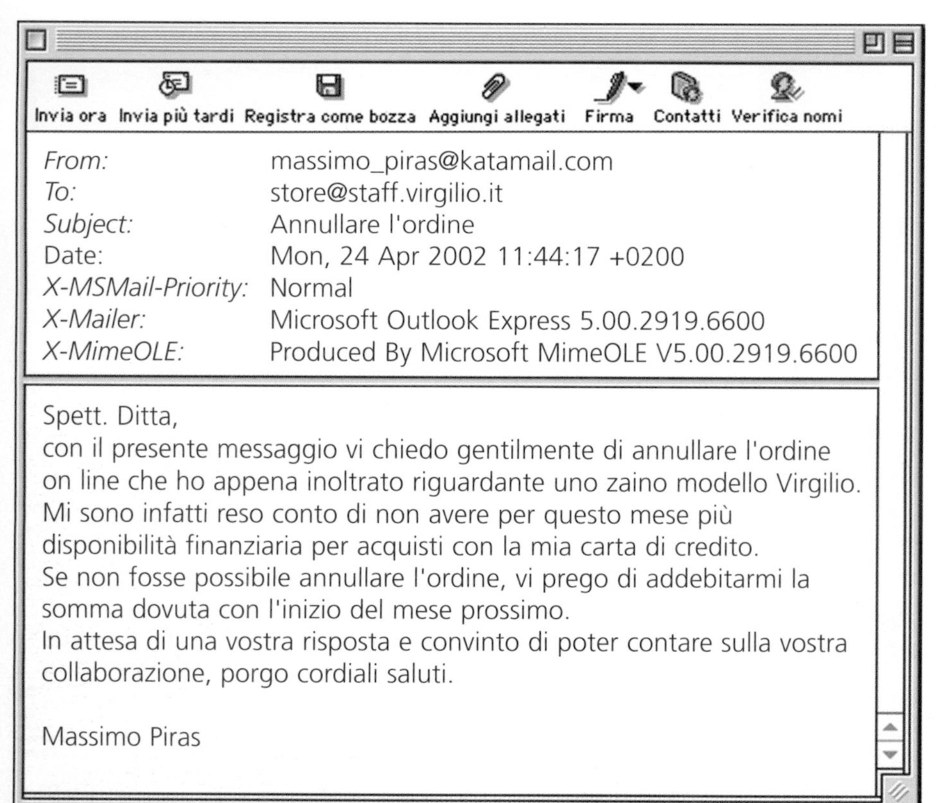

Invia ora | Invia più tardi | Registra come bozza | Aggiungi allegati | Firma | Contatti | Verifica nomi

From: massimo_piras@katamail.com
To: store@staff.virgilio.it
Subject: Annullare l'ordine
Date: Mon, 24 Apr 2002 11:44:17 +0200
X-MSMail-Priority: Normal
X-Mailer: Microsoft Outlook Express 5.00.2919.6600
X-MimeOLE: Produced By Microsoft MimeOLE V5.00.2919.6600

Spett. Ditta,
con il presente messaggio vi chiedo gentilmente di annullare l'ordine on line che ho appena inoltrato riguardante uno zaino modello Virgilio. Mi sono infatti reso conto di non avere per questo mese più disponibilità finanziaria per acquisti con la mia carta di credito.
Se non fosse possibile annullare l'ordine, vi prego di addebitarmi la somma dovuta con l'inizio del mese prossimo.
In attesa di una vostra risposta e convinto di poter contare sulla vostra collaborazione, porgo cordiali saluti.

Massimo Piras

La lettera formale

Per iniziare la lettera

Spett. = spettabile + il nome di una ditta.
Gent. = gentile + il nome di una donna.
Egr. (o **Gent.**) + il nome di un uomo.

Per chiudere la lettera

In attesa di ricevere una vostra (o sua) risposta, porgo cordiali (o distinti) saluti.

9 Scrivi un messaggio simile a una ditta di commercio online. Il problema è che la taglia della maglietta che hai ordinato e che ti hanno appena consegnato non va bene.

10 Il genere e la formazione dei nomi.
Vediamo alcune regole utili per determinare i generi dei nomi.

Vedi Rete! 2 Unità 2.

I nomi dei **continenti**, **stati**, **regioni**, **città**, **isole** sono normalmente *femminili*.
L'Oceania, la Francia, la Toscana, la Sicilia.
Roma è bellissima!
(Eccezioni: il Brasile, il Belgio, il Portogallo, il Lussemburgo, e molti nomi di stati che non sono stati modificati in italiano il Senegal, lo Yemen, ecc.; tra le regioni: il Lazio, il Veneto, l'Abruzzo, il Piemonte; tra le città: Il Cairo).

I nomi dei **frutti** sono normalmente *femminili. La pera, la mela, l'arancia.*
I nomi dei **monti**, **laghi**, **fiumi**, **mari** sono normalmente *maschili. Il Po, il Mediterraneo.*
I nomi dei **mesi** e dei **giorni** della settimana sono *maschili*. (Eccezione: **la** domenica).
I nomi delle **piante** sono normalmente *maschili. Il pero, il melo, l'arancio.*

Dal maschile al femminile: ecco alcuni altri modi oltre a quelli che già conosci per passare dal maschile al femminile.

maschile in -a	**femminile in** -essa
poeta	*poetessa*
duca	*duchessa*
maschile in -e	**femminile in** -essa **o** -a
elefante	*elefantessa*
principe	*principessa*
cameriere	*cameriera*
padrone	*padrona*
maschile in -tore	**femminile in** -trice
attore	*attrice*
scrittore	*scrittrice*

civiltà Festeggiamo!

1 Cosa ci dicono le feste nazionali laiche, non religiose, della storia d'Italia? Osserva le foto e abbina a ognuna la festa a cui si riferisce.

A

C

E

B

IL GIORNALE DI BRESCIA

Organo del Comitato di Liberazione Nazionale

I RISULTATI della consultazione

Oggi la proclamazione ufficiale dell'avvento della Repubblica

Togliatti illustra al Consiglio dei ministri il provvedimento dell'amnistia - Nessuna misura eccezionale di ordine pubblico

Il nuovo armistizio sarà firmato a giorni

Manovre, indiscrezioni e dicerie superate dagli imperativi dell'ora

D

F

1 Festa del Lavoro
2 Festa della Liberazione
3 Festa della Repubblica

Due di queste feste, la festa della Liberazione e la festa della Repubblica, si riferiscono ad avvenimenti importantissimi della storia nazionale che sono accaduti a poca distanza l'uno dall'altro. Abbina le due ricorrenze all'anno esatto.

ricorrenza:
giorno in cui si celebra un avvenimento.

1945 ....

1946 ....

2 Quelli che seguono sono alcuni proverbi legati alle principali feste italiane e che comunque usano in un qualche significato la parola "festa". Scegli tra le varie spiegazioni date quelle esatte.

1	Natale con i tuoi e Pasqua con chi vuoi.
i	**Ridurre qualcuno in pessime condizioni (picchiarlo).**
h	Festeggiare qualcuno.
l	Occorre passare la festa dedicata a un santo insieme alla persona amata.
a	La festa della Befana (Epifania, 6 gennaio) è l'ultima delle varie festività che iniziano a Natale, soprattutto gli studenti in questo periodo restano a casa da scuola per circa due settimane.
d	Sia a Natale che a Pasqua è possibile andare in vacanza con gli amici.
3	Passata la festa gabbato il santo.
f	A CARNEVALE È CONCESSO OGNI TIPI DI SCHERZO.
2	A carnevale ogni scherzo vale.
g	**A Carnevale bisogna divertirsi e scherzare a ogni costo.**
b	Vestire qualcuno in modo molto elegante come si usa quando si deve festeggiare qualcosa.
c	Passato il pericolo, superate le difficoltà, ci si dimentica delle promesse fatte e degli impegni assunti.
5	L'Epifania tutte le feste si porta via.
e	*Bisogna festeggiare il Natale in famiglia, mentre a Pasqua è concesso festeggiare, anche lontano da casa, con gli amici.*
4	*Fare la festa a qualcuno.*

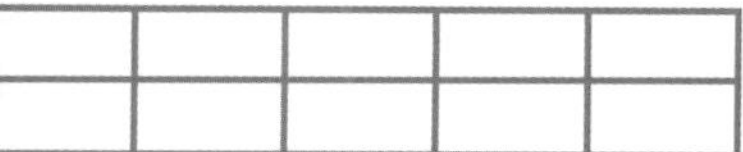
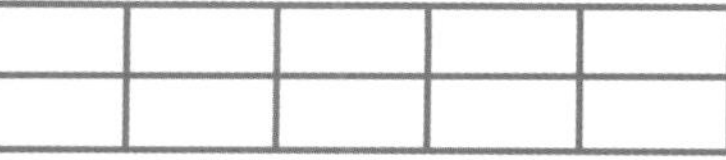

grammatica

I verbi impersonali

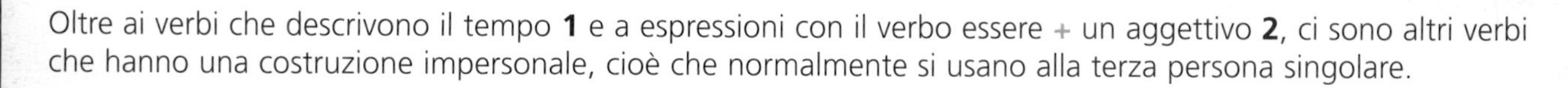

Oltre ai verbi che descrivono il tempo **1** e a espressioni con il verbo essere + un aggettivo **2**, ci sono altri verbi che hanno una costruzione impersonale, cioè che normalmente si usano alla terza persona singolare.

1 *In novembre in Italia* ***piove*** *molto.*
2 È bello *saper parlare varie lingue straniere.*

Ecco i principali: *basta, bisogna, occorre, sembra, conviene.*
Solitamente il verbo che segue questi impersonali è all'infinito, a volte introdotto da una preposizione come nel caso di *sembrare.*

Se uno vuole ingrassare, ***basta mangiare*** *un tipico pasto italiano.*
Bisogna cercare *di parlare più spesso in italiano se si vuole impararlo bene.*
Che caldo fa! ***Sembra di essere*** *in estate.*

Ma anche la costruzione con *che* + il congiuntivo è quasi sempre possibile quando la frase che segue il verbo impersonale ha il soggetto chiaramente espresso e personale.

Sembra che *ieri sull'autostrada* ***si siano*** *formate code per 50 chilometri.*
È necessario che *tu e Franco* ***raccontiate*** *alla polizia ciò che è successo.*

Altri verbi usati alla forma impersonale, ma che si costruiscono solo con *che* + il congiuntivo: *accadere, succedere, volerci, parere, può darsi.*

1 Abbina le frasi della colonna di destra ai verbi della colonna di sinistra.

1	Sembra che	**a**	la polizia dia più spesso la multa a chi guida senza le cinture di sicurezza allacciate.
2	Può darsi che	**b**	cercare di controllare l'inflazione, perché i prezzi stanno crescendo troppo.
3	Bisogna che	**c**	il Presidente della Repubblica sia stato ricoverato in ospedale.
4	Basta che	**d**	riesca ad arrivare in tempo, ma ancora non so a che ora finirà la riunione.
5	Occorre	**e**	far la spesa nel supermercato vicino a casa tua. È molto meno caro degli altri.
6	Conviene	**f**	voi decidiate di partire e a tutto il resto penseremo noi.

2 Completa le frasi.

1 Prima di andare in vacanza bisogna ....

2 Quando piove occorre ....

3 Quando si arriva in Italia sembra ....

4 Per imparare bene la grammatica italiana basta ....

5 È bello ....

6 È giusto ....

7 Sta per piovere. Conviene ....

8 Succede spesso ....

Ripasso e ampliamento: espressioni che reggono il congiuntivo

Ti presentiamo l'uso del congiuntivo. Sono conoscenze che in parte già hai, ma è utile ripassarle. Altre espressioni, invece, sono completamente nuove.

3 Cerca sul dizionario il significato dei verbi e delle espressioni in verde che non conosci.

Oltre ai verbi impersonali, anche altri richiedono il **congiuntivo**:

verbi ed espressioni che esprimono **sentimento**:
avere paura, piacere, dispiacere, sperare, temere, meravigliarsi, sorprendersi, essere contento / felice / triste / sorpreso / deluso, ecc.
- *Ritengo che la decisione di permettere ad altri paesi di entrare nell'Unione Europea sia stata giusta.*

verbi ed espressioni che esprimono **opinione**:
credere, pensare, avere l'impressione, ritenere, supporre, immaginarsi, ecc.
- ***Mi immagino** che non **abbiate visitato** tutti i musei di Roma.*

verbi che esprimono **volontà**:
volere, desiderare, preferire, ordinare, permettere, pretendere, proibire, vietare, impedire, ecc.
- *In Italia la legge **vieta** che si **guidi** un motorino senza mettersi il casco.*

verbi e locuzioni che esprimono **dubbio**:
dubitare, non essere sicuro, negare, sembrare, parere, ecc.
- ***Pare** che i vicini di casa di Domenico **abbiano riconosciuto** il ladro.*

il verbo **essere** (è, era, ecc.) + **aggettivo**, **avverbio** o **nome**:
- *Il 1° Maggio **è stato bello** che tanti lavoratori **abbiano partecipato** alla festa organizzata in piazza.*

Il congiuntivo si usa anche dopo:

il verbo **sapere** alla forma negativa;

Vedi anche Rete! 3
Unità 8.

senza che, **prima che**, **nel caso che**.

4 Ora osserva gli esempi con queste nuove parole e poi completa le frasi.

nonostante, benché, sebbene, malgrado;

- ***Nonostante*** *Tom sia di origine italiana non sa parlare la lingua dei suoi nonni.*

Conosci un'altra espressione che ha lo stesso significato di queste, ma regge l'indicativo: **anche se**.

affinché, perché;

- ***Perché*** *possiate trovare un biglietto, vi ricordo che la biglietteria apre alle 9 in punto, ma che ci sarà una lunga fila già dalle 6.*

purché;

- *Ti presto il mio libro di grammatica,* ***purché*** *tu me lo restituisca domani mattina.*

1 ......Sebbene......... non sappia giocare a calcio, mi piace guardare le partite alla tv.
2 D'accordo, vengo a cena da te .... tu permetta a tua moglie di cucinare.
3 Siamo già in aprile, ma dormo ancora con il piumone, ... di giorno faccia già caldo.
4 Vi faccio una breve presentazione storica di Venezia nel '700 .... possiate capire meglio Goldoni.
5 Mia nonna era ancora in gamba .... avesse già 84 anni.
6 Vorrei andare a fare un giro a Napoli, ... riesca a trovare un albergo poco costoso.

5 Completa le frasi con un congiuntivo. Attento al tempo: congiuntivo presente o passato?

1 Non trovo più il mio portafoglio. Credo che qualcuno me lo ....abbia rubato......... (*rubare*).
2 Temo che tuo fratello .... già .... (*arrivare*). Quella è la sua macchina.
3 In molti ritengono che gli italiani .... (*essere*) un popolo allegro.
4 Non sono sicuro che la storia di Sofia con Gianni .... (*potere*) ricominciare.
5 Desidero che tutti voi .... (*fare*) silenzio.
6 Il tempo passa senza che noi ce ne .... (*rendere conto*).
7 Dubito che .... (*riuscire*) a pubblicare il tuo libro, anche se per me è molto bello.
8 Ho l'impressione che molta gente .... (*andare*) in vacanza. La città è mezza vuota.

6 Fa' delle frasi.

1 È bello che ....oggi tanta gente possa viaggiare e scoprire altre culture.
2 È giusto che ....
3 È necessario che ....
4 È meglio che ....
5 È triste che ....
6 È logico che ....

1 Ricostruisci le frasi come nell'esempio.

1 Farei qualsiasi cosa	nel caso	lei restasse con me
2 Le voglio ancora bene	purché	sia passato tanto tempo
3 Non trovo più il gatto, dev'essere uscito	nonostante	me ne accorgessi
4 È meglio che tu le telefoni	perché	sia troppo tardi
5 Ecco il mio biglietto da visita	prima che	le possa essere utile
6 Il mio computer funziona ancora	malgrado	sia un modello molto vecchio
7 Lisa chiude sempre il suo ufficio a chiave	senza che	nessuno entri quando lei non c'è

..... / 6

2 Leggi queste brevi notizie e completale secondo il senso con le espressioni contenute nel riquadro.

1 In base ad alcune ricerche .... un'aspirina al giorno faccia bene al cuore.
2 Per dimagrire non basta mangiare poco, ma .... fare anche un po' di moto.
3 Per una buona igiene orale .... sempre lavarsi i denti dopo aver mangiato.
4 Se sei cittadino dell'Unione europea, per viaggiare in Europa non .... avere il passaporto, ... tu abbia la carta d'identità.
5 Per trovare lavoro oggi .... conoscere le lingue.

Bisogna, è necessario, basta che, sembra che, occorre

..... / 5

3 Completa la griglia segnando la forma corretta del femminile dei nomi. Osserva l'esempio.

	- trice	- a	- essa	non cambia
Studente				
parrucchiere				
dentista				
violinista				
dottore				
barista				
venditore				
disegnatore				
farmacista				
fioraio				
commesso				
insegnante				

..... / 12

4 **Trasforma i verbi contenuti nella griglia nei nomi corrispondenti. Osserva l'esempio.**

	Lui	Lei
Viaggiare	Viaggiatore	Viaggiatrice
nuotare		
ballare		
sognare		
cantare		
guidare		
scrivere		
cucinare		
fumare		
leggere		
giocare		

..... / 10

5 **Completa il testo con le espressioni *sembra che, malgrado, sebbene, perché, purché, basta che.***

Enzo: Senti Paola che ne diresti di fare un salto a Venezia a vedere il carnevale?
Paola: .... si riesca a trovare una pensione non troppo cara. .... in quel periodo ci sia un sacco di gente…
Enzo: È vero, però io ho un vecchio amico che vive a Venezia, quasi quasi gli telefono .... mi dica il nome di qualche albergo.
Paola: Mi sa che ormai sia un po' tardi per organizzare tutto. Non sappiamo esattamente quando possiamo partire, non possiamo portarci dietro il gatto e dobbiamo sistemarlo dai vicini, ... non vadano via anche loro e ce lo tengano. Comunque va bene, senti, ... tutto l'idea mi attira.
Enzo: D'accordo allora, organizzo tutto io, ... dopo tu non mi dica che il programma non ti va bene.
Paola: D'accordo, mi fido, ... sappia per esperienza che non sei proprio il tipo adatto ad organizzare i viaggi.

..... / 7

6 **Scrivi una breve lettera per invitare un tuo amico a una tipica festa del tuo paese.**

Caro…

..... / 10

NOME:
DATA:
CLASSE:

totale ..... / 50

1 Ti piacciono i gialli? Secondo te di che cosa tratta un romanzo dal titolo *Il ladro di merendine*?

storie di
argomento
poliziesco

2 Ascolta la registrazione e di' se le affermazioni sono vere o false.

		Vero	Falso
1	La storia inizia con la scoperta di due persone morte. Un marinaio tunisino e un uomo italiano.	☐	☐
2	La moglie dell'italiano morto pensa che il marito si sia suicidato.	☐	☐
3	Il commissario Montalbano si occupa del caso.	☐	☐
4	Un bimbo ruba le merendine agli alunni di una scuola.	☐	☐
5	La madre del bambino è andata in vacanza.	☐	☐
6	Il tunisino morto è lo zio del bambino.	☐	☐

Andrea Camilleri

è nato a Porto Empedocle nel 1925, ma vive a Roma dove da anni lavora come autore teatrale e televisivo. In questi anni, con l'invenzione del Commissario Montalbano, protagonista di numerosi suoi romanzi e racconti, ha raggiunto un enorme successo.

3 Lavora con un compagno. Mettete in ordine le vignette e a turno descrivete oralmente quello che vedete.

4 Adesso ognuno scrive la storia.

5 Scambia ora la tua versione della storia con il compagno di prima e correggi la sua.

6 Leggi velocemente il testo che segue e controlla se l'ordine delle vignette è uguale al tuo.

[...] Quando già erano vicini alla spiaggia, che distintamente si vedevano le persone, Libania soffocò un grido, indicò in una certa direzione:
"Dio mio! Eccoli là!"
Il commissario le fece abbassare il braccio, non voleva che i due, sapendo il carico che si portavano addosso, s'insospettissero. Un camper era fermo sulla provinciale che costeggiava la spiaggia; i due giovani, alti e biondi, pigliavano il sole, gli occhi coperti da occhiali scuri. Per quanto fosse certo che i due non avrebbero potuto riconoscerla con il vestito di Livia e la faccia coperta a metà dal fazzolettone, il commissario fece distendere Libania sul fondo della barca. La ragazza eseguì, lamentandosi: le era penoso ogni movimento.
C'era una grossa roulotte attrezzata a rivendita di bibite e gelati. Montalbano vi si avvicinò, ordinò una birra ghiacciata. Il bibitaro sorrise mentre la serviva.
"Come mai da queste parti?"
"Lei mi conosce?"
"Certo che la conosco. Io di Vigàta sono.
Lei il commissario Montalbano è."
Tirò un sospiro di sollievo, da solo non ce l'avrebbe fatta a fermare i due picciotti svizzeri, atletici com'erano.
"Le devo domandare un favore" disse Montalbano facendogli cenno di nèsciri da darrè il banco.
"Agli ordini."

La lingua usata da Camilleri imita le parlate siciliane. Le costruzioni a volte sono diverse dall'italiano standard. Ad esempio il verbo si può trovare alla fine della frase.

L'omo affidò il negozio alla moglie che stava lavando i bicchieri, s'allontanò di qualche passo allato al commissario.
"Li vede quei due picciotti biondi che pigliano il sole?"
"Sissi. Sono arrivati con quel camper. Stamattina sono venuti ad accattarsi un gelato. Erano con una picciotta di Capo Verde, accussì le sentii dire."
"Questi due bravi ragazzi hanno prima violentato e poi tentato di ammazzare la ragazza."
L'omo ebbe uno scatto, sicuramente si sarebbe lanciato sui due se Montalbano non l'avesse fermato.
"Calma. Non dobbiamo farceli scappare. Lei sa se qui in spiaggia c'è qualcuno con un cellulare?"
"Quanti ne vuole."
Proprio in quel momento un signore, posando sul bancone un telefonino, ordinò un cono di crema e cioccolato.
"Mi permetta" fece Montalbano impadronendosene.
"Ma che minchia?..."
Il bibitaro prontamente intervenne.
"Il signore è un commissario. Ha urgenza."
L'altro cambiò subito tono.
"Ma si figuri! Faccia con comodo."
Montalbano chiamò Fazio al commissariato, gli spiegò dove si trovava, gli ordinò d'arrivare al massimo entro un quarto d'ora, l'autista Gallo era autorizzato a credersi a Indianapolis, gli disse che voleva macari un'ambulanza.
Poi, col bibitaro, organizzò un piano, perché la cosa andava fatta con discrezione e a colpo sicuro. Il bibitaro tagliò una corda robusta in quattro pezzi, due li diede al commissario, due li tenne per sé. Quindi andò dall'omo che affittava barche e si fece dare due remi. Ognuno con un remo in spalla, indolentemente, si avvicinarono agli svizzeri. Arrivato all'altezza dei piedi di uno dei due, Montalbano si rigirò di scatto e gli calò, di taglio, un gran colpo in mezzo alle gambe. In perfetta sincronia, il bibitaro fece lo stesso. In un vìdiri e svìdiri, che manco avevano ripigliato il fiato per lamentarsi, i due picciotti si trovarono affacciabocconi sulla rena, mani e piedi legati. E il bello fu che nessuno tra i bagnanti si era addunato di niente.
"Resti qui" disse il commissario al bibitaro che si taliàva attorno tenendo un piede sullo svizzero che aveva catturato come un cacciatore di leoni fotografato con la vestia abbattuta.
Montalbano si fece dare un bicchiere di carta e una bottiglia d'acqua minerale, corse verso la barca. La picciotta Libania tremava, aveva la fronte bollente, le era venuta la febbre alta, gemeva. Il commissario le diede un bicchiere d'acqua, ma Libania s'attaccò direttamente alla bottiglia, era arsa.
"Tra poco arriva l'ambulanza e ti porta in ospedale."
Libania gli prese una mano e gliela baciò.

[Da *Un angolo di Paradiso*, in Andrea Camilleri, *Un mese con Montalbano*, Mondadori 1999, pp. 302 - 304]

7 Camilleri è siciliano e i suoi romanzi sono ricchi di parole e costruzioni che ricordano i dialetti meridionali. Leggi nuovamente il testo e abbina le parole evidenziate alla loro traduzione in italiano.

uomo	omo
bestia	
giovani	
con la faccia sulla sabbia	
sì	
dietro	
anche	
nemmeno, neanche	
molto rapidamente	
così	
accorto, reso conto	
uscire	
guardava	
di fianco	
comprarsi	

Alla scoperta della lingua

Hai notato quale tempo del passato usa l'autore in prevalenza? È un tempo molto usato nella lingua scritta ma anche nell'italiano parlato delle regioni centro-meridionali. Si chiama passato ....

8 Cruciverba italo-siculo. In questo testo di Camilleri hai visto molte parole in italiano e in siciliano. Qui sotto trovi due cruciverba, nei quali sono contenute le stesse parole nelle due lingue. Le definizioni riprendono le frasi del testo in cui compaiono le parole siciliane.

Siciliano	Italiano	Definizione
5 orizz.	**4** orizz.	non ce l'avrebbe fatta a fermare i due svizzeri
7 orizz., **8** vert.	**7** e **8** orizz.	disse Montalbano facendogli cenno di da il banco
4 vert.	**1** vert.	L' affidò il negozio alla moglie
6 vert.	**3** vert.	" Sono arrivati con quel camper"
9 orizz.	**9** orizz.	Stamattina sono venuti ad un gelato.
3 vert.	**5** vert.	gli disse che voleva un'ambulanza.
2 vert.	**2** orizz.	nessuno tra i bagnanti si era di niente.
1 vert.	**4** vert.	"Resti qui" disse il commissario al bibitaro che si attorno
10 orizz.	**6** vert.	come un cacciatore di leoni fotografato con la abbattuta.

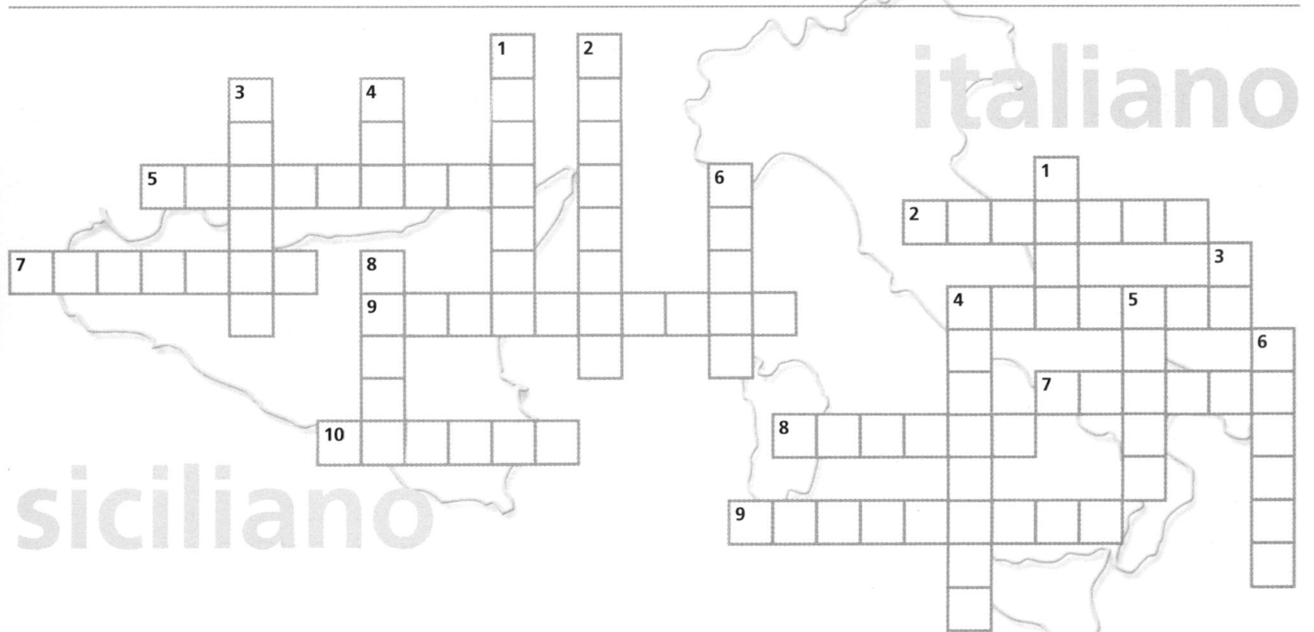

lessico

Travolti durante una corsa illegale

BOLOGNA - *Una ragazza è morta e tredici persone sono rimaste ferite venerdì notte dopo essere state investite da un'auto che gareggiava nelle corse illegali nella zona del Macello, all'estrema periferia della città, nel quartiere Pilastro.*

[Gazzetta di Parma 7/5/2000]

RAGAZZO 12 ANNI RUBA ORI FAMIGLIA PER PAGARE BABY-ESTORSORI

ACIREALE (CATANIA) - Stanco di essere minacciato da due quindicenni, compagni di giochi in piazza, un ragazzo di 12 anni ha rubato da casa sua una borsa con gli ori di famiglia, per un valore di dieci milioni di lire, e l'ha consegnata ai due, che da circa un mese gli chiedevano del denaro per comprare un ciclomotore nuovo e per divertirsi in sala giochi.

[Ansa 7/5/2000]

Agenti aggrediti da decine di giovani

GAETA - Tre agenti di polizia sono stati aggrediti alcune sere fa in pieno centro storico a Gaeta da decine di giovani. I poliziotti hanno avuto lesioni guaribili in una decina di giorni. Gli agenti tentavano di fare delle contravvenzioni all'uscita di uno dei tanti locali del centro storico.

[Repubblica 7/5/2000]

Poliziotto insegue e uccide rapinatore diciassettenne

Roma, il giovane marocchino si è buttato nel Tevere. Inutili i tentativi di salvarlo.

ROMA - Un ragazzo marocchino colpito da un proiettile sparato dalla polizia è morto sulla riva del Tevere dove si era tuffato per fuggire agli agenti. È finito in tragedia, giovedì notte, l'inseguimento di un gruppo d'extracomunitari, tutti minorenni.

[Repubblica 6/5/2000]

1 Con l'aiuto del dizionario, leggi gli articoli sottolineando le parole che ti sembrano legate al tema della giustizia e completa la tabella.

Rubare	

2 Leggi nuovamente gli articoli. Se tu fossi un giudice, cosa faresti ai colpevoli di questi crimini? Scrivi alcuni appunti.

3 A piccoli gruppi confrontate le vostre condanne, spiegatene le ragioni e dite se siete d'accordo con i compagni. Ecco alcuni modi per esprimere accordo o disaccordo.

Accordo	Disaccordo
Sono d'accordo con ... che ...	Non sono d'accordo con ... che ...
Penso che sia giusto che ...	Penso che sia sbagliato che ...
Condivido l'opinione di ... che ...	Secondo me non è vero che ...
Anch'io penso / credo / ritengo che ...	Io invece penso / credo / ritengo che ...

*Una parola molto usata nella lingua parlata per rafforzare la negazione è **mica**:*
- Non è mica vero!
- Non sono mica d'accordo...

Alla scoperta della lingua **Ti ricordi la regola del periodo ipotetico della possibilità?**

Scegli il nome dei tempi giusti.

Se tu fossi un giudice, cosa faresti...?
Se + ..., *+*
....

Passato prossimo, imperfetto, futuro semplice, condizionale semplice, congiuntivo presente, trapassato, indicativo presente, congiuntivo imperfetto.

4 Abbina le parole alle vignette. Quali vignette mancano?

5 Quali pensi che possano essere i reati più comuni in una città italiana di medie dimensioni oggi? Scegli tra quelli dell'attività precedente.

6 Ascolta l'intervista a Oreste, ispettore di polizia in una città di medie dimensioni del Nord Italia e controlla se le tue risposte erano corrette.

7 Ascolta nuovamente l'intervista e rispondi alle domande.

1 Quale tipo di servizio preferisce Oreste?
2 Come definisce la sua città?
3 Com'è la situazione della sua città rispetto alla criminalità?
4 Che cosa temono maggiormente gli abitanti della città di Oreste?
5 Quali crimini non sono comuni in questa città?
6 Le donne possono stare tranquille in strada?
7 Chi commette spesso uno scippo?
8 Qual è la speranza di Oreste?

Osserva i nomi di molti criminali: come si formano? Partendo dal verbo, togliendo - RE e aggiungendo la desinenza ....

8 Completa la tabella scegliendo tra le definizioni proposte e inserendo le parole mancanti.

Crimine	Verbo	Definizione	Criminale
Furto			
Rapina			
Scippo			
Spaccio di droga			
Assassinio			
Stupro			
Terrorismo	Compiere un'azione terroristica		
Ricatto			
Rapimento			

- Chiedere denaro o altro minacciando una persona di rivelare qualche informazione o fare qualcosa contro i suoi interessi.
- Prendere una persona in ostaggio e chiedere in cambio soldi.
- Vendere sostanze stupefacenti illegali.
- Violentare una persona.
- Prendere oggetti che appartengono ad altri.
- Rubare qualcosa a una persona per strada.
- Uccidere qualcuno.
- Rubare da un negozio o banca.
- Commettere un reato per raggiungere un obiettivo politico.

9 Completa l'articolo con le parole del riquadro.

Questa mattina presso il .... di Bologna, si è concluso il .... ai due giovani .... due anni fa con l'accusa di aver .... a una loro amica di soli 19 anni, uccidendola. L' .... dei due giovani non ha potuto dimostrare che i suoi clienti erano innocenti e il .... ha ottenuto le .... richieste: 20 anni di prigione per entrambi. Gli accusati sono stati .... nonostante le dichiarazioni di un .... che affermava di aver visto i due ragazzi in un'altra città il giorno dell'omicidio della ragazza. La .... definitiva è stata la pistola trovata nella cantina della casa del nonno di uno dei due. Il .... ha dichiarato che non gli era mai capitato di notare tanta indifferenza nei condannati nel momento della lettura della ....

tribunale, pene, sentenza, testimone, giudice, pubblico ministero, condannati, arrestati, prova, processo, avvocato, sparato

grammatica

Esprimere un desiderio

- ***Vorrei** che ti **ricordassi** di me quando tornerai nel tuo paese.*

Il condizionale semplice del verbo *volere* + *che* seguito dal congiuntivo imperfetto è la struttura che si usa per esprimere un desiderio.

1 Completa le frasi.

1 Pino e Giulia non sono mai venuti a casa nostra. Vorrebbero che li ....invitassimo........ (*invitare*) a cena.

2 John vorrebbe che le sue figlie .... (*vivere*) un po' in Italia.

3 Tricia vorrebbe che Megan e Scott .... (*passare*) l'estate dai nonni in Inghilterra.

4 I miei studenti vorrebbero che gli esami .... (*essere*) più facili.

5 Molti italiani vorrebbero che la vita .... (*essere*) meno stressante.

6 Molti stranieri vorrebbero che le autorità .... (*dare*) più visti per venire in Italia.

Esprimere opinioni e dare consigli

Osserva gli esempi. Qual è la differenza nella struttura? E nel significato?

- *È opportuno che tutti gli italiani imparino a usare il computer e a parlare l'inglese.*

- *Sarebbe opportuno che tu dicessi la verità. Ormai la polizia ti ha scoperto.*

Nel primo caso il verbo *essere* è al presente e la frase che segue ha il congiuntivo presente.

Nel secondo caso il verbo *essere* è al condizionale semplice e la frase che segue ha il congiuntivo imperfetto.
La prima frase esprime un'opinione e un consiglio generalizzati e condivisibili da tutti, la seconda esprime un invito, un consiglio più personale e suona più gentile.

2 Pensa alle situazioni descritte e fa' delle frasi come nell'esempio.

1 Sta per piovere.
Sarebbe meglio che ....portassi un ombrello con te.........

2 In Italia c'è molta disoccupazione.
È necessario che il governo ....

3 Giovanna è dimagrita troppo.
Sarebbe bene che ....

4 La classe non ha capito questa parte di grammatica.
Sarebbe opportuno che ....

5 In Italia troppi studenti che si iscrivono all'università non si laureano.
È opportuno che ....

6 In Italia anche gli stranieri con regolare permesso di soggiorno hanno diritto all'assistenza medica.
È giusto che ....

Il periodo ipotetico della possibilità e dell'irrealtà

Vedi Rete! 2, Unità 15.

Il periodo ipotetico della **possibilità**.

Condizione improbabile anche se in teoria possibile nel presente o nel futuro:	Conseguenza nel presente o futuro:
se + congiuntivo imperfetto	**condizionale semplice**
Se Giorgia potesse iscriversi all'università,	studierebbe biologia.

Nel periodo ipotetico della possibilità l'azione potrebbe avverarsi anche se ciò non è molto probabile. Con la stessa struttura, però, si può esprimere anche il periodo ipotetico della **irrealtà**.

Condizione irrealizzabile né nel presente né nel futuro:	Conseguenza nel presente o futuro:
se + congiuntivo imperfetto	**condizionale semplice**
Se Hassan fosse cittadino di uno stato dell'Unione europea,	non avrebbe problemi a ottenere un lavoro in Italia.

3 Fa' delle ipotesi che sai che non potranno realizzarsi nel presente o nel futuro.

1 Se mi piacesse fare ginnastica, non avrei quest'orribile pancia.
2 ....
3 ....
4 ....
5 ....
6 ....
7 ....
8 ....

Ripasso: il passato remoto

Vedi Rete! 2, Unità 11.

4 Scegli il tempo giusto.

1 Smisi / smettevo di fumare quando il dottore mi diceva / disse che avevo / ebbi i polmoni pieni di catrame.
2 Mi comprai / compravo una nuova macchina fotografica quando i ladri entravano / entrarono in casa e rubavano / rubarono la mia vecchia macchina che avevo lasciato / lasciai sul tavolo.
3 Quando arrivava / arrivò il pacco che conteneva / contenne il regalo di laurea di suo nonno, Piero si mise / metteva a piangere.
4 I miei nonni per molti anni vivevano / vissero in campagna / poi si trasferirono / trasferivano in città dove compravano / comprarono un piccolo negozio di alimentari.
5 Da dieci minuti Miram piangeva / pianse disperata perché non sapeva / seppe come dire a suo marito che sua madre era morta / morì.
6 A diciotto anni Paola si sposò / sposava, a 25 aveva / ebbe già tre figli, a 27 si divorziò / divorziava, a 30 si sposò / sposava nuovamente, a 32 scappava / scappò in Groenlandia, dove visse / viveva felice e contenta fino a quando morì / moriva all'età di 80 anni.

5 Scrivi una storia al passato, usando le parole proposte.

....
....
....
....
....
....
....
....
....
....
....
....

mattino, Francesco, svegliarsi, trovare, vetri sul pavimento, salotto, non capire, cercare, pantaloni, portafoglio, aprire, cassaforte, tutto in ordine, vicino, divano, pietra, foglietto, " Caro Prof., questo per la tua simpatia! ", doccia

Stare o essere

Un altro tratto abbastanza diffuso nelle parlate meridionali è l'uso di *stare* al posto di *essere*.

- *Non ci* **sta** *nessuno.*

In italiano sarebbe

- *Non* **c'è** *nessuno.*

- *Dove* **stanno** *i miei pantaloni?*

In italiano sarebbe

- *Dove* **sono** *i miei pantaloni?*

Oltre alle espressioni che già da tempo conosci, come ad esempio *Come stai? Sto bene*, grazie, a volte *stare* si usa nell'italiano standard per esprimere qualcosa in modo più intenso:

- *Non ti agitare, sta' calmo! (anziché* **sii calmo**, *che non si utilizza).*

o per descrivere qualcosa di durevole, con il significato di *rimanere*, *restare* o *abitare*:

- *Quest'estate sto in città.*
- *In questi giorni sono dai miei, ma di solito sto in un appartamento in Via Puccini.*

Come ausiliare *stare* ha soprattutto due usi importanti:

Vedi Rete! 1, Unità 8 e Rete! 2, Unità 1 e 7.

per descrivere un'azione in svolgimento, seguito dal gerundio:

- *Sto scrivendo una lettera.*

per descrivere un'azione che avverrà in un futuro molto prossimo:

- *Che film noioso: sto per addormentarmi!*

civiltà Mafia, parliamone!

1 Lavora con due compagni: cosa sapete della mafia? Prova a rispondere brevemente a questa domanda e prendete appunti.

2 Ora leggi il brano e le definizioni del fenomeno mafioso e confronta i tuoi appunti con le informazioni fornite.

Istruttoria: fase preparatoria del processo in cui si raccolgono gli atti e le prove.

"La mafia è aria che cammina"

"Nella catena delle amicizie ci può sempre essere l'anello mafioso ma tu non sai quale sia. E scrivere della mafia, giudicare la mafia è una fatica di Sisifo, tutti ti gridano: "Le prove! Le prove!". Come se fosse facile, possibile trovare le prove quando è la mafia a riscrivere la sua storia, a rifare le istruttorie uccidendo o terrorizzando i testimoni, usando testimoni falsi, impaurendo i giudici".

[Leonardo Sciascia]

Lo stereotipo dell'italiano mafioso ha fatto il giro del mondo anche grazie a film di successo come *Il padrino* di Francis Ford Coppola e a sceneggiati televisivi come *La piovra*. Ma la mafia purtroppo non è solo un buon soggetto cinematografico, esiste veramente e ha messo e continua a mettere a dura prova l'equilibrio sociale italiano. Nonostante alcune importanti vittorie da parte della forze dell'ordine il fenomeno mafioso continua a esistere principalmente in quelle zone del sud del paese in cui le condizioni economiche, la disoccupazione, che da sempre crea un forte disagio sociale, si uniscono a una presenza ancora insufficiente dello Stato.
Ma se la lotta alla mafia è ancora lontana dalla sua conclusione non si deve unicamente alla scarsa presenza dello Stato, infatti una delle sue caratteristiche è quella di non perdere mai i contatti con la società che cambia, di adattarsi perfettamente alle condizioni storiche e sociali mantenendo una posizione prevalentemente parassitaria e nello stesso tempo di freno allo sviluppo.
Da questo punto di vista, la metafora della piovra non è esatta in quanto lascia pensare a un potente animale in grado di immobilizzare la società che cattura. Invece la mafia è forse meglio rappresentabile con l'immagine del parassita, o di un liquido che è nell'intera società e ne segue l'evoluzione, adeguandosi ai tempi.
Pur cambiando negli anni, tuttavia, la mafia conserva sempre alcuni caratteri specifici che ne fanno un fenomeno ben preciso:

1 controllo del territorio, in concorrenza con il potere statale;
2 monopolio illegale della forza, anche in questo caso in concorrenza con il monopolio statale;
3 grande capacità di trovare forme di compromesso con le autorità ufficiali, che spesso vengono corrotte o in qualche modo "contattate" dalla mafia per non arrivare ad un conflitto diretto;
4 tendenza a risolvere i conflitti, sia all'interno che verso l'esterno, con un tasso di violenza molto elevato;
5 presenza di un'organizzazione comandata dai capi (i boss) e ordinata secondo regole molto rigide, codificate.

1 Nel diagramma si nascondono nove espressioni, oltre l'esempio che indicano diversi stati d'animo. Trovale e inseriscile nella tabella nella colonna corrispondente.

A	N	L	V	A	B	E	N	E	I	T	A	U	L	A
N	O	U	R	M	A	D	E	S	T	U	S	I	N	O
E	C	U	I	F	M	A	D	A	R	R	S	L	O	L
M	A	B	R	O	M	A	O	D	A	S	O	U	N	O
M	A	G	A	R	I	M	S	A	S	S	L	M	O	N
E	N	C	V	S	E	N	A	S	G	I	U	S	T	O
N	M	A	R	E	I	A	R	N	E	I	T	U	L	N
O	S	S	A	B	N	E	E	N	U	A	A	L	A	S
P	O	R	D	E	C	N	B	A	Z	Z	M	P	A	A
E	L	L	A	B	R	U	B	A	I	I	E	S	S	P
R	N	I	O	S	E	D	E	G	U	I	N	A	S	R
S	E	C	O	N	D	O	M	E	N	O	T	O	E	E
O	L	A	S	S	I	M	E	A	R	R	E	A	O	I
G	R	E	L	O	B	S	G	B	U	A	N	P	P	O
N	O	L	S	D	I	N	L	A	S	N	O	I	T	O
O	R	S	A	T	L	R	I	M	O	L	D	U	B	A
L	A	C	C	A	E	R	O	U	I	S	R	T	A	E

Cerca di completare la griglia con altre espressioni o verbi che conosci.

desiderio/speranza	sorpresa	disaccordo	accordo	opinione	dubbio
		nemmeno per sogno			

..... / 15

2 Completa i mini dialoghi con i verbi contenuti nel riquadro ai modi condizionale e congiuntivo.

1 - Mi dispiace che Laura se la sia presa tanto con me, io non volevo offenderla.
- Forse .... meglio che tu le .... così vi chiarite e tornate amici come prima.

2 - Sai Marta, se .... tempo mi .... tanto venire con te a fare un po' di ginnastica.
- Secondo me sei solo un po' pigra. Se tu lo .... veramente .... venire alla sera. La palestra è aperta fino alle dieci.

3 - Scusa Paolo, ... prestarmi cinquanta euro?
- Mi dispiace, se li .... te li .... volentieri, ma ho appena fatto la spesa e sono rimasto senza soldi.

4 - Non riesco più a trovare l'indirizzo di Francesca.
- Se tu .... un po' più ordinato non .... tanto tempo a cercare le cose.

5 - Lisa, ho un problema con il computer, puoi venire a darci un'occhiata?
- Se tu .... un corso di informatica, certi piccoli problemi li .... da solo.

essere (due volte), piacere, seguire, risolvere, potere (due volte), avere (due volte), volere, parlare, dare, perdere

..... / 13

3 **Osserva le vignette e descrivi la storia utilizzando i tempi del passato**

a

b

c

d

e

f

..... / 12

4 **Completa le frasi con il verbo *stare* o *essere*.**

1 - .... zitto, non riesco a sentire cosa dicono alla radio.
2 - Telefonami quando vuoi, tanto oggi .... a casa tutto il giorno.
3 - Pronto Francesco, mi passi a prendere per andare a cena?
- Certo, ... da te fra una mezzora.
4 - Ti va di venire stasera a mangiare una pizza con me e Martina?
- D'accordo, ci ....
5 - Luisa, vieni anche tu al compleanno di Sara?
- Non lo so, forse .... a Roma per lavoro e non so se riesco a tornare in tempo.
6 - Vedrai che tutto andrà bene, non preoccuparti, ... tranquillo.

..... / 6

5 **Un tuo amico italiano vuole venire a vivere e lavorare nel tuo paese. Scrivigli una breve lettera dandogli dei consigli utili.**

Se vuoi venire a vivere e lavorare nel mio paese innanzitutto dovresti...

..... / 10

6 **Leggi le seguenti frasi e correggi gli errori, se necessario.**

1 Se vuoi mantenerti in forma hai bisogna di fare un po' di sport.
2 Se vuoi prendere l'aereo con tranquillità è meglio che tu sia all'aeroporto due ore prima.
3 Non è mica vero che si imparano le parole nuove ripetendole tante volte. Si imparano usandole.
4 Penso che sarebbe giusto che tutti avessero tempo per i propri interessi.

..... / 4

NOME:
DATA:
CLASSE:

totale ..... / 60

1 Osserva le immagini. Sapevi che tutti questi prodotti sono italiani?

unità 4
la pubblicità, il made in Italy

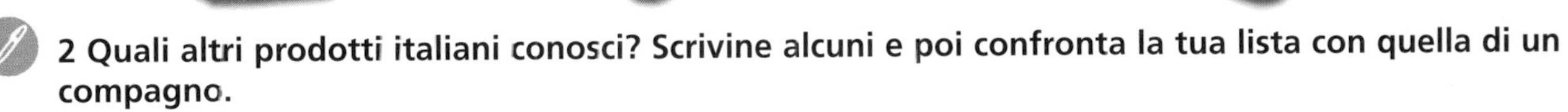

2 Quali altri prodotti italiani conosci? Scrivine alcuni e poi confronta la tua lista con quella di un compagno.

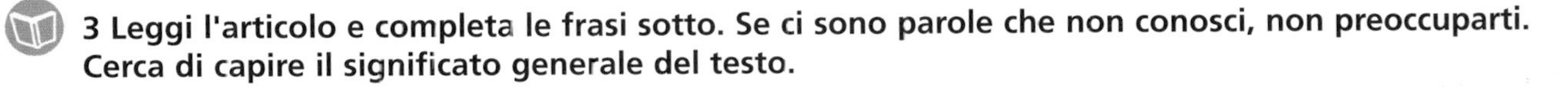

3 Leggi l'articolo e completa le frasi sotto. Se ci sono parole che non conosci, non preoccuparti. Cerca di capire il significato generale del testo.

Dalla Moka al Pendolino 100 simboli per un secolo

Una giuria di esperti indica gli oggetti di culto del Novecento italiano. Una mostra a Padova

PADOVA - La Moka Express Bialetti del 1933, l'Ape e la Vespa Piaggio del 1946, la Nutella Ferrero del 1950, la macchina per scrivere Olivetti "Valentine" del 1969: sono alcune delle icone del made in Italy del Novecento e probabilmente tra gli oggetti più amati dagli italiani, secondo una selezione realizzata dalla scuola italiana di design di Padova, uno dei più prestigiosi istituti del settore. Complessivamente sono stati scelti cento oggetti sui cinquecento segnalati da opinion leader, responsabili di design di grosse aziende e studenti della scuola, che collaborano con industrie come Benetton, Fiat, Alfa Romeo, Team Porsche.
Saranno proposti con una carrellata di fotografie nella prossima Fiera campionaria di Padova, in programma dal 20 al 28 maggio, e qui sarà il pubblico a decretare con il proprio voto il miglior prodotto italiano del secolo scorso. Il più antico tra i selezionati è il tram prodotto dalle Officine Stanga di Padova nel 1928, mentre tra i più segnalati compaiono il Bacio Perugina e la Vespa Piaggio, fino all'ultimo in ordine di tempo: il videocitofono della Elvox, del 1999. "Una vera e propria graduatoria - spiega Massimo Malaguti, direttore della scuola - non c'è. Abbiamo infatti raccolto i prodotti ritenuti più significativi e ricorrenti, come la mitica Vespa, o la macchina per scrivere Valentine Olivetti, ma anche pezzi più recenti come la moto Ducati Monster".
Oggetti che appartengono a diversi settori merceologici e che hanno rappresentato un impulso innovativo nel momento in cui sono stati proposti al mercato, segnando anche in modo emblematico il periodo storico in cui sono maturati.
Fra i più popolari, oltre a quelli già citati, figurano la Fiat Uno di Giugiaro (1983), il wc Ideal Standard (1954) e l'erogatore di benzina Agip del 1974. Nella rassegna, intitolata "Cento anni di prodotto italiano in cento oggetti", vi sono anche oggetti ritenuti dei classici come il telefono Rotor arancione, il pennarello "Tratto Pen" (1979), la bici Graziella (1963) e la macchina fotografica Nikon F4, di Giugiaro (1988). Altri oggetti sono classificati tra gli *evergreen*, come la libreria Bookworm di Kartell, lo zainetto Invicta, le scarpe da tennis Superga. Infine, fra i mezzi di trasporto che hanno lasciato traccia nell'immaginario collettivo, verranno presentati modelli dell'"Etr 500 Pendolino", dell'elicottero A109 Hirundo dell'Agusta e del transatlantico più grande del mondo, la "Grand Princess".

di CLAUDIO SALVALAGGIO

[Da Repubblica 13 maggio 2000]

1 La scuola italiana di design ha selezionato ....

2 I prodotti scelti saranno presentati ....

3 Anche il pubblico potrà ....

4 Gli oggetti sono stati scelti perché ....

5 Anche alcuni mezzi di trasporto ....

4 Ora leggi nuovamente l'articolo, sottolinea le parole che non capisci e cerchia quelle che non sai e che consideri indispensabili per capire il testo.
Poi con l'aiuto del dizionario cercane il significato. Alla fine, prova a farti una domanda: le parole che sembravano indispensabili erano davvero così necessarie per capire il senso?

5 ▶▶ Alla scoperta della lingua – Trova nel testo tre frasi che hanno lo stesso significato di quelle scritte sotto.

1 ...hanno scelto cento oggetti...

....

2 Si proporranno con una carrellata...

....

3 Infine... si presenteranno modelli...

....

Che struttura è usata nel testo per la prima e seconda frase?

Verbo ausiliare .... + ...

E per la terza frase?

Verbo ausiliare .... + ...

Si tratta della **forma passiva**.

Osserva nuovamente la frase.

- *Complessivamente sono stati scelti cento oggetti sui cinquecento segnalati da opinion leaders...*

Chi compie l'azione di scegliere cento oggetti? ....

Qual è la preposizione che introduce chi compie l'azione? ....

È una forma del verbo. Il soggetto subisce l'azione; ad esempio: La notizia è stata diffusa da una televisione americana. Nella forma attiva invece il soggetto compie l'azione; esempio: una televisione americana ha diffuso la notizia.

6 A piccoli gruppi guardate le immagini di altri prodotti italiani. Inventate uno slogan pubblicitario per uno di essi e scrivete le ragioni della vostra scelta.

Cercate di dare risposta alle seguenti domande:
- quali caratteristiche del prodotto vi hanno portato a inventare il vostro slogan?
- A chi pensate di vendere?
- Dove? A che prezzo? In che modo?

7 Ora formate dei gruppi diversi da quelli precedenti e presentate al nuovo gruppo il vostro slogan, spiegando le ragioni della vostra scelta.

8 La pubblicità è parte integrante della vita moderna. A volte può suscitare molte polemiche. Leggi velocemente l'articolo che segue e poi di' a un compagno cosa ne pensi. Secondo te chi ha ragione?

La campagna pubblicitaria choc di Oliviero Toscani scatena la reazione: "Le carceri non sono in vendita"

Per le foto dei condannati il Missouri contro Benetton

L'azienda italiana si difende: "C'è un valore sociale"

WASHINGTON - Gli uomini del braccio della morte non possono diventare i testimonial di una campagna pubblicitaria. I volti angosciati, gli sguardi penetranti ritratti da Oliviero Toscani per Benetton, costano al fotografo toscano e al suo mecenate una causa. Ai tribunali i due sono abituati, ma la novità questa volta è che contro di loro si muove un intero Stato: il Missouri.

L'accusa è di aver ottenuto con l'inganno il permesso di fotografare quattro detenuti in attesa di esecuzione. L'azienda italiana, secondo gli americani, non aveva spiegato che le immagini sarebbero state usate per una campagna in grande stile contro la pena di morte. I reati sono quelli di falso fraudolento e accesso ottenuto con l'inganno, per i quali è chiesto un risarcimento finanziario.

"Le nostre carceri non sono in vendita": sostiene il procuratore generale del Missouri, Jay Nixon. E il responsabile dei penitenziari, Theodis Beck aggiunge: "Siamo stati truffati, pensavamo che fosse un'iniziativa giornalistica e invece ci siamo trovati davanti a degli spot".

Ma i volti di quei 28 condannati a morte che ti guardano, ti inchiodano dai cartelloni ai bordi delle strade non fanno pubblicità ad un prodotto, sono piuttosto il veicolo di un importante problema sociale. Ed è su questo che si basa la difesa di Benetton e Toscani, sempre pronti a dare battaglia su questo fronte: "Le foto mostrano che queste persone non sono numeri, ma esseri umani che la società vuole eliminare".

Per questo la campagna non si ferma, come invece vorrebbe il Missouri, ma va avanti senza curarsi delle carte bollate e delle richieste degli Stati Uniti.

[Repubblica, *10 febbraio 2000*]

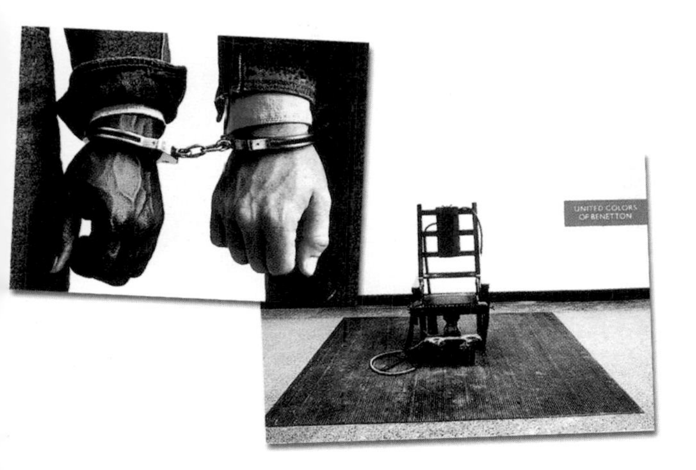

Alla scoperta della lingua

Che funzione ha ***i quali*** in questa frase?

a) È un pronome possessivo.

b) È un pronome dimostrativo.

c) È un pronome relativo.

Perché ***i quali*** è al maschile plurale?

A che cosa si riferisce?

9 Leggi nuovamente l'articolo e rispondi alle domande.

1 Chi è Oliviero Toscani?

....

2 Perché lo Stato del Missouri ha fatto causa a Benetton e a Oliviero Toscani?

....

3 Cosa significa "le nostre carceri non sono in vendita"?

....

4 Come si difendono la Benetton e Toscani?

....

10 Secondo te quali sono le caratteristiche di una moderna campagna pubblicitaria? Parlane con un compagno.

11 Ascolta l'intervista e rispondi alle domande.

1 Come deve essere una campagna di successo?

....

2 Quali sono i passi da fare per creare una campagna pubblicitaria?

....

3 Perché è importante che l'utente della campagna ricordi il messaggio?

....

4 Cosa significa individuare i mezzi?

....

lessico

1 Oggi la pubblicità ci porta a cambiare tante nostre abitudini, anche linguistiche. Pensa ai colori: nella tua lingua ci sono colori che hai imparato a conoscere perché oggi sono di moda e che solo alcuni anni fa non si utilizzavano? Abbina i colori della colonna di sinistra alle espressioni della colonna di destra.

1	Rosso	a	Ghiaccio
2	Nero	b	Fumo di Londra
3	Grigio	c	Fuoco
4	Bianco	d	Antico
5	Verde	e	Seppia
6	Giallo	f	Pisello
7	Rosa	g	Canarino

Hai notato la posizione delle parole che descrivono questi colori? Ad esempio: ***rosso fuoco***. Prima c'è il colore poi il nome o aggettivo che lo descrive.

2 Scrivi il nome dei colori negli spazi tratteggiati.

....

3 Per ognuno di noi i colori sono associati a qualcosa o a qualcuno. Ad esempio per molti l'azzurro è il colore del cielo. E chi non riesce a vedere? Quali altri modi ha di cogliere i colori? Ci hai mai pensato? Leggi il testo ed elenca quali modi ha il protagonista di percepire i colori.

Io di amici non ne ho. Per colpa mia. Perché non li capisco. Parlano di cose che non mi riguardano. Dicono *lucido*, *opaco*, *luminoso*, *invisibile*.
Come in quella favola che mi raccontavano da bambino per farmi dormire, in cui c'era una principessa così bella e con una pelle così fine che sembrava *trasparente*. Ci ho messo tanto, tante notti sveglio a pensare, prima di capire che trasparente voleva dire che si poteva guardare dentro.
Per me significava che le dita ci passavano attraverso.
Anche i colori per me hanno un altro significato. Hanno una voce, i colori, un suono, come tutte le cose. Un rumore che li distingue e che posso riconoscere. E capire.

L'azzurro, per esempio, con quella *zeta* in mezzo è il colore dello zucchero, delle zebre e delle zanzare. I vasi, i viali e le volpi sono viola e giallo è il colore acuto di uno strillo. E il *nero*, io non riesco a immaginarlo ma so che è il colore del nulla, del niente, del vuoto. Però non è solo una questione di assonanza. Ci sono colori che per me significano qualcosa per l'idea che contengono. Per il *rumore* dell'idea che contengono. Il verde, per esempio, con quella *erre* raschiante, che gratta in mezzo e prude e scortica la pelle, è il colore di una cosa che brucia, come il sole. Tutti i colori che iniziano con la *b*, invece, sono belli. Come il bianco e il biondo. O il blu, che è bellissimo. Ecco, ad esempio, per me una bella ragazza, per essere davvero bella, dovrebbe avere la pelle bianca e i capelli biondi.
Ma se fosse veramente bella, allora avrebbe i capelli blu.
Ci sono anche colori che hanno una forma. Una cosa rotonda e grossa è sicuramente rossa. Ma le forme non mi interessano. Non le conosco. Per conoscerle bisogna toccarle e a me toccare non piace, non mi piace toccare la gente. E poi con le dita sento solo le cose che ho attorno, mentre con le orecchie, con quello che ho dentro la testa, posso arrivare lontano. Preferisco i rumori.

[Da Carlo Lucarelli, *Almost blue*, Einaudi, Torino 1997, pp. 8-9.]

4 Leggi nuovamente il testo e trova altre parole, oltre ai colori, che riguardano la luce.

5 Vedere e guardare. Abbina i verbi alle definizioni.

1 Dare un'occhiata
2 Fissare
3 Osservare
4 Sbirciare
5 Contemplare

a Guardare senza spostare lo sguardo.
b Guardare rapidamente spesso senza essere autorizzati.
c Guardare rapidamente
d Guardare attentamente spesso per fini di studio o scientifici
e Guardare a lungo e con ammirazione.

I suffissi: *sostantivi, aggettivi, avverbi.*

6 Osserva i vari suffissi, scrivi a fianco se servono per formare degli aggettivi, dei sostantivi o degli avverbi e fa' un esempio.

- mento	Sostantivo	Movimento	- tà		
- mente			- istico		
- zione			- ezza		
- bile			- ismo		
- ore			- izia		
- aio			- oso		
- ato			- ico		
- issimo			- anza		
- evole			- ivo		
- ale					

7 Dall'aggettivo al sostantivo. Crea dei sostantivi partendo dagli aggettivi.

Freddo	Freddezza
Bello	
Libero	
Perfetto	
Veloce	
Semplice	
Importante	
Intelligente	
Attento	

8 Dal sostantivo all'aggettivo. Crea degli aggettivi partendo dai sostantivi.

Centro	Centrale
Strada	
Amico	
Inverno	
Noia	
Pericolo	
Arte	
Storia	
Cura	

9 Gli aggettivi che ti mettono in croce! "Mettere in croce" significa "far soffrire": questi aggettivi, che hai visto nell'es. 8, ti mettono in croce...
Prova a metterli in croce tu, sulla base dei sostantivi da cui derivano.

Orizzontali:
4. Storia
5. Centro
6. Amico

Verticali:
1. Noia
2. Arte
3. Strada

grammatica

Il passivo

Osserva la frase.

- *Ieri sera Roberta è stata scippata in Piazza Duomo a Milano da due giovani che sono scappati correndo.*

La stessa frase si poteva esprimere così:

- *Ieri sera in Piazza Duomo a Milano due giovani hanno scippato Roberta e poi sono scappati correndo.*

Nella frase ci sono due forme verbali con l'ausiliare *essere*: *è stata scippata* e *sono scappati*. Nel primo caso si tratta di una forma passiva, mentre nel secondo è il normale ausiliare *essere* usato per formare il passato prossimo con i verbi di movimento.

Ricordi cos'è un verbo transitivo? È un verbo seguito dal complemento oggetto. Risponde alla domanda chi / che cosa?
- Amo una ragazza meravigliosa.

Il **passivo** si forma con l'ausiliare *essere* nei vari tempi possibili più il *participio passato* del verbo.
Il **passivo** si forma solo con i verbi **transitivi**.
La persona o cosa che compie l'azione è preceduta dalla preposizione **da**.

- *Per secoli l'Italia è stata dominata* ***da*** *potenze straniere.*

Frequentemente nel linguaggio giornalistico si usa il passivo quando non si sa chi abbia compiuto l'azione.

- *Ieri notte la banca vicino a casa mia è stata rapinata.*

Il passivo con *venire* e *andare*

Spesso il passivo viene reso in italiano con l'ausiliare *venire* al posto di *essere*.
La sostituzione di *essere* con *venire* non è possibile con i tempi composti (ad esempio il passato prossimo).

- *"La Divina Commedia"* ***viene*** *letta in tutte le scuole italiane.*

Questa frase è in tutto identica alla seguente.

- *"La Divina Commedia"* ***è*** *letta in tutte le scuole italiane.*

Vedi Rete! 2, Unità 7.

Il passivo con **andare** ha spesso il significato di **dovere**.

- *Gli esercizi di questo libro* ***andrebbero*** *fatti tutti attentamente.*
- *Gli esercizi di questo libro* ***devono essere*** *fatti tutti attentamente.*

- *La frutta e la verdura* ***vanno*** *lavate accuratamente prima di poterle consumare.*
- *La frutta e la verdura* ***devono essere*** *lavate accuratamente prima di poterle consumare.*

Il *si* passivante

Anziché usare le forme del passivo con *essere*, *venire* o *andare* è possibile utilizzare il **si** passivante + la forma attiva del verbo, ma solamente con i **verbi transitivi** e deve essere espresso il **complemento oggetto**.

- *In tutte le scuole italiane* ***si leggono*** *"I promessi sposi" di Alessandro Manzoni.*
- *In tutte le scuole italiane* ***sono / vengono letti*** *"I promessi sposi" di Alessandro Manzoni.*

Dopo il **si** abbiamo il verbo alla terza persona singolare se il nome a cui si riferisce è singolare, o alla terza persona plurale se il nome a cui si riferisce è plurale, come nell'esempio.
Nei tempi composti (ad esempio al passato prossimo) il verbo ausiliare è sempre *essere* e il participio passato si accorda con il nome a cui si riferisce.

- *Ieri si* ***sono*** *giocat****e*** *le ultime* ***partite*** *del campionato di calcio.*

A volte **si** è usato al posto di **noi**.
- Dove si va questa sera?
- Dove andiamo questa sera?

1 Trasforma le frasi alla forma passiva.

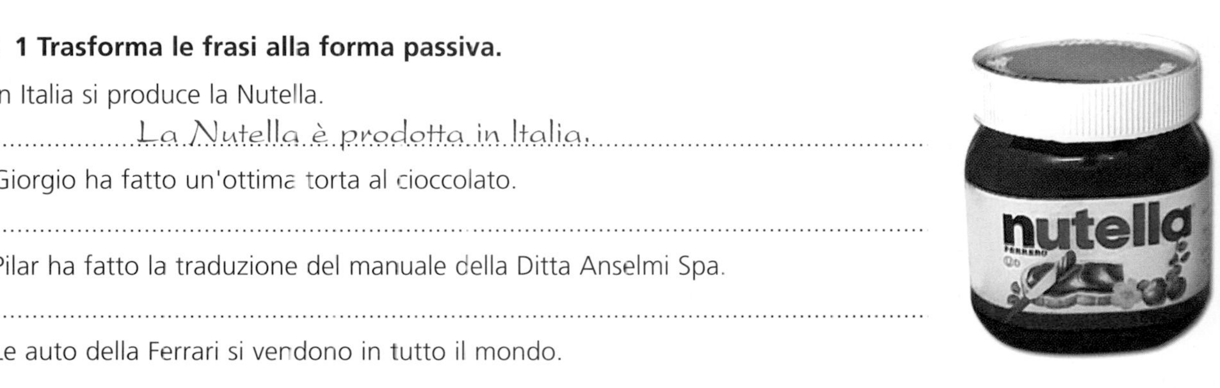

1 In Italia si produce la Nutella.
La Nutella è prodotta in Italia.

2 Giorgio ha fatto un'ottima torta al cioccolato.
....

3 Pilar ha fatto la traduzione del manuale della Ditta Anselmi Spa.
....

4 Le auto della Ferrari si vendono in tutto il mondo.
....

5 Durante il matrimonio di Silvia hanno cantato canzoni molto belle.
....

6 Finalmente posso fare trasloco. Hanno verniciato la mia nuova casa.
....

7 Tutti noi dobbiamo fare uno sforzo per inquinare meno.
....

8 Certe autorità americane non hanno apprezzato la campagna pubblicitaria contro la pena di morte della Benetton.
....

2 Completa le frasi con un verbo al passivo. Scegli tra quelli del riquadro.

1 La casa di Lino ....è stata costruita.... in due anni, dal 1999 al 2001.
2 L'anno scorso Paola .... direttrice di una filiale della sua banca.
3 Questa mattina il corpo senza vita di un uomo .... sulla riva del fiume dai carabinieri.
4 Dall'anno prossimo vari modelli di automobili italiane .... in Cina.
5 Oggi l'italiano .... in molti importanti paesi asiatici, dalla Corea al Giappone, dalla Cina all'India.
6 La canzone che ti piace tanto .... da un autore brasiliano.

promuovere, studiare, produrre, trovare, costruire, scrivere

3 Completa le frasi con un verbo.

1 A Siena ....si possono.... incontrare turisti di molti paesi.
2 Raramente in estate .... dei bei film nuovi al cinema.
3 In questa scuola .... sempre corsi interessanti.
4 Ieri al Superenalotto .... moltissimi soldi.
5 Nel corso del XX secolo .... molti passi avanti ma l'umanità ha ancora problemi terribili.
6 Quando si è in vacanza, spesso .... molto senza pensarci.

4 Quanti problemi! Proponi una soluzione usando un passivo come nell'esempio.

1 La temperatura della terra sta rapidamente aumentando.
Dovrebbe essere fatto qualcosa contro l'inquinamento.
Andrebbe fatto qualcosa contro l'inquinamento.
2 Gli studenti del mio corso continuano a fare molti errori di grammatica.
....
....
3 I disoccupati in Italia sono circa tre milioni.
....
....
4 I giovani italiani vivono con i loro genitori fino oltre i trent'anni d'età.
....
....
5 La mia macchina perde olio!
....
....
6 Oggi fa un caldo insopportabile in casa.
....
....

5 Sostituisci *essere* con *venire*, dove possibile.

1 *Il fu Mattia Pascal* è stato scritto da Luigi Pirandello.
Non si può sostituire

2 Il nuovo teatro sarà inaugurato sabato prossimo.

3 Fino agli anni settanta il latino era studiato anche nelle scuole medie.

4 Secondo i giornali il ponte sullo Stretto di Messina sarà presto costruito.

5 Il mio nuovo computer non è stato installato correttamente.

6 Il ragazzo è ammirato da tutti per il suo fisico.

I pronomi relativi

Soprattutto nella lingua scritta si possono trovare forme dei pronomi relativi diverse dai più frequenti *che* e *cui*. Sono le forme con *quale / quali*.

Vedi Rete! 2, Unità 8.

	singolare	plurale
maschile	il quale	la quale
femminile	i quali	le quali

- *Il libro **del quale** ti ho parlato ha vinto il premio Bancarella.*
  (Il libro di cui ti ho parlato ha vinto il premio Bancarella.)

Quando ci sono le preposizioni **di**, **a**, **su**, **in**, si formano preposizioni articolate (del, al, sul, nel).

Sono variabili e vogliono sempre l'articolo determinativo.
Si accordano con il nome cui si riferiscono sia per il genere che per il numero.

Possesso
Nota la differenza nella costruzione di queste due frasi.
- *Quella è Patrizia, l'impiegata la cui figlia verrà a lavorare da noi.*
- *Quella è Patrizia, l'impiegata la figlia della quale verrà a lavorare da noi.*

A volte è necessario usare le forme con **quale / i**, altrimenti la frase può essere ambigua.
- *Ecco Filippo con Giulia, di cui ti ho parlato a lungo, ti ricordi?*

L'uso di **cui** in questo caso potrebbe creare ambiguità.
Per maggior chiarezza è opportuno dire:
- *Ecco Filippo con Giulia, dei quali (o della quale) ti ho parlato a lungo, ti ricordi?*

Attenzione:
non si può mai usare la forma *il/la* quale, *i/le* quali con funzione di complemento oggetto.

- *Ti ho riportato i libri i quali mi hai prestato ieri.* ✗
- *Ti ho riportato i libri che mi hai prestato ieri.*

6 Sostituisci il pronome relativo con le forme con il / la quale, i / le quali, dove possibile.

1 Ieri sera ho preso il video di cui mi hai parlato.
Ieri sera ho preso il video del quale mi hai parlato.

2 Il tema su cui si è soffermato a lungo il professore durante la lezione mi è sembrato molto interessante.

3 Mario ha comprato la mansarda il cui proprietario era il tuo ex-collega.

4 Ecco Marta, la ragazza che mi hai presentato ieri.

5 Sai che non mi è piaciuta la mostra che mi hai consigliato?

6 Vorremmo portare la vostra attenzione sulle norme che vanno scrupolosamente seguite in caso di incendio.

7 All'ospedale ho incontrato Mimmo e sua moglie che ha un problema molto serio allo stomaco.

8 Ho rivisto gli amici con cui ho passato tante sere felici.

Colui / colei / coloro che

Osserva le due frasi:

- ***Chi*** *deve fare l'esame, vada nell'aula 122.*
- ***Coloro che*** *devono fare l'esame, vadano nell'aula 122.*

Le due frasi hanno lo stesso significato.
Oltre al pronome relativo *chi* possiamo utilizzare **coloro che**, entrambi significano *le persone che*.

Queste forme non sono molto frequenti. Sono spesso sostituite da *chi*. Ricorda però che *chi* può essere usato solo all'inizio della frase: **Chi** ha unito l'Italia si chiama Giuseppe Garibaldi.

Al singolare, cioè con il significato di *la persona che* esiste sia la forma del femminile **colei che**, sia la forma del maschile **colui che**.

- *Giuseppe Garibaldi è* ***colui che*** *ha unito l'Italia.*

civiltà La pubblicità sulla carta stampata

1 Prova a leggere gli slogan pubblicitari che seguono.
Sulla carta stampata di quale paese sono comparsi secondo te?
Con un tuo compagno prova poi a indovinare a quali prodotti si riferiscono.

Do anything, go everywhere

Tim Business Easy

Superga (everywear)

Meeting

That's amore!

Italian Obsession

Isabella Rossellini's Manifesto

Eyewear Web

Lacoste. Deviens ce que tu es

2 Abbina gli slogan che seguono alle pagine pubblicitarie a cui appartengono.

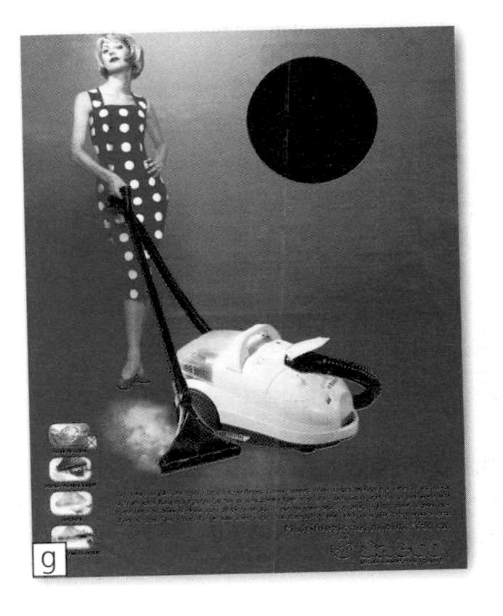

1 Ci sei con la testa?
2 Fata Morgana, per sfatare tutti i luoghi comuni sulle pulizie.
3 Supera la soglia del piacere (di tre millimetri).
4 Prenditi un giorno di libertà.
5 Grazie all'Eurostar Italia, fra Milano e Roma c'è un eccellente rapporto.
6 Bio, bio, bio, bio. Frutta e verdura tutta natura. Nient'altro da aggiungere.
7 Collezione primavera / estate, autunno / inverno.

a Trenitalia
b Creattiva
c Galletti
d Esselunga Bio
e Brikka Bialetti
f Aleve Roche
g Fata Morgana Saeco

1	2	3	4	5	6	7

3 L'abbinamento degli slogan alle immagini senza dubbio chiarisce il significato del messaggio pubblicitario. Spesso l'effetto ottenuto è comico o comunque divertente e nasce dall'accostamento di modi di dire, espressioni, suoni inseriti in contesti non comuni. Tutte le espressioni dell'attività precedente sono usate comunemente nella nostra lingua con altri significati e in altro contesto. Abbina le espressioni che seguono, tratte dalle frasi dell'attività precedente, ai contesti e alle situazioni che seguono, poi discuti con i compagni sull'efficacia dell'abbinamento immagini-testo-contesto.

Situazione a

Due amiche stanno parlando. A un certo punto una delle due fa una domanda all'altra che non risponde, è distratta, sta guardando altrove e pensando a chissà che cosa. Cosa dice l'amica che le ha fatto la domanda?

".."

Situazione b

Due amici stanno parlando delle loro fidanzate. Uno chiede all'altro: "Come va con Luisa?" Cosa risponderà l'altro? Completa la sua risposta: "Tra di noi ....

Situazione c

Sfilata di moda. La presentatrice apre la passerella. Completa ciò che dice: "Signore e signori stasera vi presenteremo la .... della famosa casa di moda Italiastile".

Situazione d

Telegiornale. Il giornalista sta dando alcune notizie economiche relative alla Borsa. Completa la notizia. Oggi la Borsa di Milano è in leggero rialzo, l'indice Mibtel .... dello 0,3%."

Situazione e

Due colleghi di lavoro stanno parlando. Quale consiglio darà il collega all'amico stanco?

A: "Sai in questo periodo sono molto stanco, faccio molta fatica a concentrarmi..."

B: "..".

Situazione f

Durante una conferenza un sociologo sta parlando di alcuni stereotipi sugli italiani. Completa la sua frase. "Come dicevo, spesso gli italiani sono visti dagli stranieri come incalliti dongiovanni e latin lover. .... vi dirò che i maschi italiani del nuovo millennio sono invece insicuri e deboli nei loro rapporti con le donne. Infatti..."

Situazione g

Prova a completare la seguente barzelletta.

"Di solito i pulcini fanno pio, pio, pio... Lo sapete che verso fanno i pulcini allevati con alimenti biologici, sani e naturali? Fanno ....

Collezione primavera / estate, autunno / inverno.
C'è un eccellente rapporto.
Ha superato la soglia....
Ci sei con la testa?
Bio, bio, bio, bio.
Prenditi un giorno di libertà.
Per sfatare un luogo comune.

1 **Completa la griglia formando dei nomi dagli aggettivi corrispondenti. Osserva l'esempio.**

	- ura	- izia	- ezza	- itudine	- ia	- ità
Solo				Solitudine		
Bravo						
Grato						
Bello						
Simpatico						
Utile						
Grande						
Comodo						
Strano						
Cortese						
Pigro						

..... / 10

2 **Forma degli aggettivi dai seguenti nomi e scrivili nella colonna a lato. Osserva l'esempio.**

Lunghezza	Lungo
Ricchezza	
Altezza	
Allegria	
Follia	
Furbizia	
Bontà	
Libertà	
Sporcizia	
Stranezza	
Felicità	

..... / 10

3 **Metti in ordine le frasi.**

1 bolle - gli - si - buttare - in - spaghetti - l'acqua - devono - pentola - quando

....

2 sul - biglietti - i - treno - essere - prima - di - devono - salire - timbrati

....

3 cellulari - del - spenti - in - i - vanno - decollo - telefoni - prima - aereo

....

4 i - la - si - sono - primavera - scorsa - primi - segnali - della - settimana - visti

....

..... / 4

4a **Leggi queste brevi notizie di giornali italiani e prova a riscriverle trasformando la forma passiva in attiva. Osserva l'esempio.**

Es: La notizia della scoperta del gene del linguaggio è stata diffusa da alcune riviste scientifiche.
Alcune riviste scientifiche hanno diffuso la notizia della scoperta del gene del linguaggio.

1 Scoperto un vasto traffico internazionale di droga. Un corriere è stato arrestato dalla polizia all'aeroporto di Milano. L'uomo è stato perquisito dagli agenti che lo hanno trovato in possesso di un carico di eroina destinata al mercato italiano.

....

....

....

2 Una forte ondata di maltempo è stata prevista dagli esperti nelle regioni settentrionali. A Venezia potrebbe verificarsi il fenomeno dell'acqua alta, mentre le altre regioni saranno investite da una perturbazione proveniente dal nord Europa.

....

....

....

4b Ora svolgi l'attività contraria. Trasforma la forma attiva in passiva. Osserva l'esempio.

Es: Alcuni testimoni hanno visto cadere l'aereo subito dopo il decollo.
L'aereo è stato visto cadere da alcuni testimoni subito dopo il decollo.

3 Gli abitanti di alcuni paesini dell'Umbria hanno sentito ieri sera distintamente una breve scossa di terremoto. Per fortuna non ci sono stati danni, ma alcune persone hanno preferito passare la notte all'aperto.

....

....

....

4 I sindacati hanno indetto ieri uno sciopero contro la situazione precaria della scuola e per il mancato aumento di stipendio per gli insegnanti. La CGIL ha organizzato una manifestazione a Roma per venerdì prossimo e ha chiesto un incontro con il ministro dell'Istruzione.

....

....

....

..... / 8

5 Forma delle frasi unendo le parti contenute nelle tre colonne. Osserva l'esempio.

1 Marta ha una grande collezione di film	che	molti in versione originale.
2 Gli amici veri sono quelli	che	si può sempre contare.
3 Gino non ha spiegato il motivo	tra i quali	ha presentato le dimissioni.
4 Alitalia è la compagnia aerea	chi	viaggio più spesso.
5 Possono frequentare i corsi solo	coloro i quali	hanno fatto regolare iscrizione.
6 Il miglior studente è	colui	che riflette su quello che studia.
7 Dove posso comprare la crema	con la quale	mi hai prestato ieri?
8 Mi piacerebbe registrare il CD	per cui	mi hai fatto ascoltare ieri sera a casa tua.
9 Non riesco più a ricordare a	sui quali	ho prestato gli appunti di letteratura.

..... / 8

NOME:
DATA:
CLASSE:

totale ..... / 40

unità 5 bianchi e neri, altri modi di vita e terzomondo

1 Chi viene a vivere nel vostro paese deve abituarsi a un modo di vita spesso molto diverso dal suo. A piccoli gruppi parlate di quelli che vi sembrano gli aspetti più importanti. Ad esempio pensate a:

rapporto con le altre persone
tempo
salute
feste
cibo
amici
sicurezza
lavoro
organizzazione della giornata

2 Qual è l'aspetto secondo voi più difficile a cui una persona deve abituarsi nel vostro paese? Parlane con tutta la classe.

Ti ricordi come si formano i comparativi e i superlativi?
(Vedi Rete! 2, Unità 9). Completa le frasi:

1 Roma è .... città .... Italia.
2 Mario è un metro e 80, Andrea un metro e 84.
Andrea è .... Mario.
3 Abitare in centro è .... vivere in periferia.

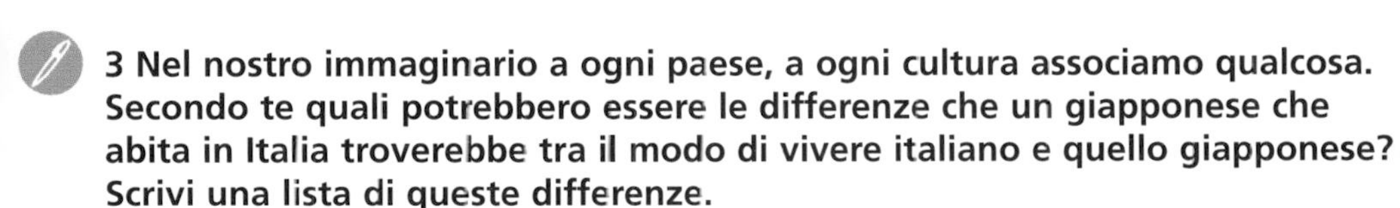

3 Nel nostro immaginario a ogni paese, a ogni cultura associamo qualcosa. Secondo te quali potrebbero essere le differenze che un giapponese che abita in Italia troverebbe tra il modo di vivere italiano e quello giapponese? Scrivi una lista di queste differenze.

4 Ora confronta la tua lista con quella di alcuni compagni.

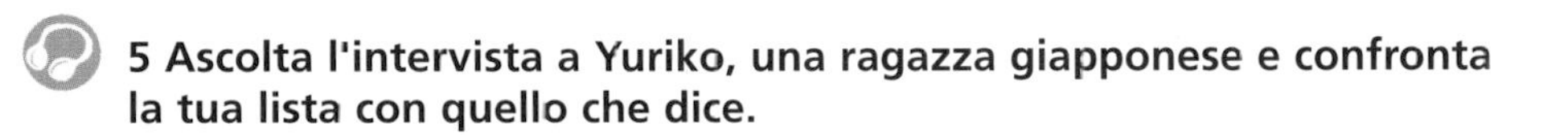

5 Ascolta l'intervista a Yuriko, una ragazza giapponese e confronta la tua lista con quello che dice.

6 Ora ascolta nuovamente l'intervista e completa la tabella con appunti su quanto dice riguardo ai due paesi.

Italia	Giappone

7 Vivere in un paese straniero non è facile! Leggi velocemente il brano che segue. Quali sentimenti prova Salwa, la narratrice, nella sua nuova città? Scegli tra quelli indicati.

Eravamo l'unica famiglia straniera del quartiere. La nostra insolita presenza fece molto chiasso e quando la gente seppe che la famiglia era araba, la curiosità aumentò.
La gente che incontravo intorno a casa, in strada e nei negozi mi sorrideva e mi salutava. Bastava solo un cenno del capo: era facile e gentile, me ne ero quasi scordata. Altri mi parlavano, quasi ignorando che non capivo, come era successo sul treno mentre venivamo in Italia; si vede che fa parte del carattere italiano. [...]
Andavo ai giardini con i bambini e così iniziai lentamente a imparare l'italiano, a fare amicizia con altre giovani signore. Mi chiamavano "la signora gentile", forse li colpiva il fatto che ero una straniera "normale". Chissà perché, forse loro gli stranieri se li immaginavano ignoranti, disordinati, selvaggi e ritardati, chissà... E allora nel vedere una straniera simpatica, in ordine, con due figli, restavano attratti, affascinati. In ogni caso anch'io ero incantata dalla loro disponibilità.
Mi facevano ridere i vecchietti per strada e ai giardini. Appena mi vedevano mi dicevano: "Sai, anch'io sono stato in Medio Oriente, anch'io sono stato in Africa", "Anch'io sono stato in Libia, in Etiopia, in Somalia". Io rispondevo: "E io che c'entro? Io sono di un altro paese. Asia, Gerusalemme, Cristo. Non c'entra niente con la Libia o con la Somalia". Avevano in testa una gran confusione, forse un po' di ignoranza, ma erano tanto affettuosi, sempre con le caramelle in tasca per i bambini. Era bello incontrare dei volti sorridenti.
Presi ad andare ai giardini con Rosalba, una signora che viveva nel mio palazzo, sposata con un chirurgo, che aveva una figlia più o meno dell'età dei miei e aspettava un altro bambino. Sapeva un po' di inglese e così potevamo comunicare. Si faceva in cento per me.
Ho saputo dopo che veniva dal Sud e capiva che cosa volesse dire essere soli, lontani dalla propria terra, dalla propria famiglia. Conosceva, poteva immaginare i miei sentimenti, la mia sofferenza, la mia solitudine e per questo, offrendomi la sua amicizia, voleva facilitare a tutti i costi la mia esperienza, la stessa che lei aveva dovuto affrontare.

[da Salwa Salem, *Con il vento nei capelli*, Giunti, Firenze 1993, pp. 137-8]

malinconia, amore, affetto, tristezza, solitudine, felicità, rassegnazione, sofferenza

8 Leggi nuovamente il brano e completa le frasi.

1 Dato che .... i vicini del quartiere erano molto curiosi.
2 I vicini erano affascinati perché ....
....
3 Anche se non sapevano dove fosse il Medio Oriente i vecchi ....
....

Alla scoperta della lingua

Ti ricordi altre espressioni con lo stesso significato di *anche se*?
Nonostante, malgrado, sebbene. Ma queste reggono il congiuntivo.
Quindi la frase
- *Anche se non erano mai stati in Medio Oriente...*
diventa
- *Nonostante non* ***fossero*** *mai* ***stati*** *in Medio Oriente...*
Che tempo è *fossero stati*?

4 Poiché anche Rosalba viveva lontana dalla propria terra ....
....

9 Ora prova a fare alcune frasi basate sulla tua esperienza. Poi parlane con due compagni. Usa i modelli proposti.

- Si è contenti quando si è all'estero e...
- Ci si sente felici quando si torna a casa e...

Alla scoperta della lingua

Cosa noti in queste frasi?

Com'è l'aggettivo che segue il si?

☐ singolare ☐ plurale

Il verbo di partenza nella seconda frase è riflessivo: **sentirsi**.

Com'è la forma del riflessivo con il ***si*** impersonale?

☐ Si si ☐ Si ci ☐ Ci si

10 Scrivere un articolo di giornale richiede notevoli abilità. Bisogna riuscire a comunicare efficacemente ciò che si vuol dire rispettando spesso esigenze di sintesi. Scegli una delle notizie e sviluppala creando un articolo di giornale. Inventa un titolo per il tuo articolo.

Roma

Storico incontro: Bono, Geldof e Quincy Jones dal Pontefice per sostenere la campagna "Jubilee 2000".
Saranno ricevute due star del rock dal Papa: Bob Geldof e Bono degli U2.
Presenteranno Jubilee 2000, campagna per la cancellazione del debito estero dei paesi del terzo mondo.
Vi saranno anche personalità del mondo della cultura, dell'economia.
Parteciperanno esponenti del mondo della solidarietà. E il sindaco di Roma.
Dice Bono: "Il debito è la prima tessera del domino. "Eliminando questa componente della povertà, tutte le altre: i rifugiati, la fame, la degradazione ambientale e le violazioni dei diritti umani non avranno più ragione d'essere".
Altra sua dichiarazione: "Viviamo nell'era della cibernetica ma non riusciamo a sfamare chi ha bisogno.
Chi ha coscienza non può guardare le immagini di miseria che ci giungono senza provare colpa".
Dopo l'incontro tre concerti a New York, Londra e Ginevra.

Calabria

Immigrati, sbarcano in 342.
Tra loro molti bambini e una donna incinta.
Equipaggio arrestato.
A bordo della nave "Senior M".
Clandestini di varia nazionalità: afgani, indiani, senegalesi, palestinesi, della Sierra Leone e del Bangladesh.
Il viaggio è iniziato a Cipro.
La nave batteva bandiera dei Sao Pao, isola vicino al Gabon.
Era partita 5-6 giorni fa dal porto di Izmir, in Turchia.
Hanno pagato per il viaggio tra i cinque e i 10 milioni ciascuno.
Il comandante era libanese e poi 3 pachistani, un cingalese e un egiziano nell'equipaggio.

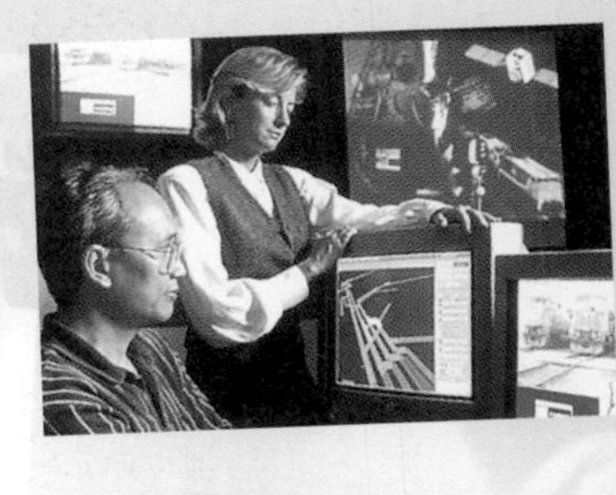

In Italia pochi tecnici informatici.
Arrivano dal terzo mondo.
I giovani tecnici del Terzo Mondo hanno fatto la fortuna della Silicon Valley.
Molti arrivano dall'India, ma in pochi scelgono l'Italia.
L'Italia non è importante per la new economy.
Secondo Federcomin e Anasin, due associazioni che raggruppano le aziende di informatica e di software in Italia oggi mancano 50.000 tecnici e quadri specializzati nelle tecnologie avanzate.
Nei prossimi anni la situazione peggiorerà. Secondo le aziende del settore nel 2002 mancheranno 150.000 unità.
Posti di lavoro di cui l'industria ha estremo bisogno, ma che nessuno andrà a riempire perché manca il personale con le qualifiche adatte. È un vuoto drammatico, che impedisce all'Italia di lanciarsi alla rincorsa della New Economy americana.
Questa necessità cancella i pregiudizi xenofobi: se non ci sono abbastanza giovani italiani con la laurea in ingegneria informatica, gli stranieri non rubano il posto a nessuno.
Problemi burocratici: per far venire in Italia un super-laureato del terzo mondo di cui l'Italia ha urgente bisogno, la procedura è complessa come per gli altri lavoratori. Necessità di regole più adatte all'emergenza.
Altro problema: molti giovani italiani specializzati in questo campo accettano lavori all'estero.
Perché: mondo del lavoro più dinamico, migliori stipendi, più innovativi.
L'Italia in questo campo è più simile all'India: non sa trattenere i cervelli migliori.

11 Leggi il tuo articolo a un compagno e chiedigli un giudizio su come l'hai scritto. Poi ascolta il suo e fa' la stessa cosa.

civiltà L'italia e l'immigrazione

Il nostro paese è stato in passato terra di emigrazione. Nell'ultimo decennio dell'800 i nostri connazionali emigravano in cerca di lavoro verso le Americhe, dopo la seconda guerra mondiale l'emigrazione si è rivolta ai paesi europei più industrializzati. Dagli anni '70 il flusso migratorio si è arrestato e l'Italia è divenuta gradatamente un paese di immigrazione. All'inizio degli anni '90 i principali flussi migratori riguardavano soprattutto persone provenienti da paesi del cosiddetto Terzo Mondo (Asia, Africa e America Latina) e dall'Est Europeo. Si calcola che già alla fine del 1988 erano presenti nel nostro paese circa un milione di immigrati. Sia l'entità che la "novità" del fenomeno hanno suscitato accesi dibattiti e dal 1986 sono stati adottati provvedimenti di legge per regolare l'immigrazione. Questi provvedimenti hanno lo scopo di limitare l'immigrazione clandestina e di facilitare l'inserimento nel mondo del lavoro di coloro che già si trovano nel nostro paese.

Immigrati clandestini e irregolari
Sono **clandestini** gli stranieri che sono entrati in Italia senza regolare visto di ingresso.
Sono **irregolari** gli stranieri che hanno perduto i requisiti necessari per la permanenza sul territorio nazionale (es.: permesso di soggiorno scaduto e non rinnovato), di cui erano però in possesso all'ingresso in Italia.
Secondo la normativa vigente tali immigrati devono essere respinti alla frontiera o espulsi.
[Ministero dell'Interno]

1 Leggi l'articolo completa lo schema con le informazioni mancanti.

Aumentano i regolari, un accordo anti-clandestini

Il dossier della Caritas: extracomunitari al 3 per cento Patto tra i ministri Bianco, Schily e il premier sloveno

di ALESSANDRA ARACHI

ROMA - Soltanto nel 2000 sono aumentati di 137 mila unità, ma è dal 1995 che in Italia si registra la presenza di 100 mila immigrati in più ogni anno. Tutti regolari, questi analizzati nel dossier statistico della Caritas, che ha contato nel nostro Paese circa 1 milione e 700 mila extracomunitari, ovvero quasi il 3 per cento del totale della popolazione. Tutti arrivati in Italia per lavorare: oscilla infatti tra il 3,7 e il 4,3 la percentuale di immigrati rispetto alla nostra forza lavoro. Che tradotto in numero assoluto vuol dire oltre 800 mila extracomunitari lavoratori, quasi 100 mila in più rispetto all'anno appena finito. [...] Purtroppo, però, c'è un gran numero di immigrati che sfugge alle statistiche della Caritas. Sono i clandestini che approfittano dei nostri lunghi e vasti confini per infilarsi in Italia. Ed è per questi che ieri il ministro dell'Interno, Enzo Bianco, è arrivato a Lubiana ed insieme al suo omologo tedesco Otto Schily ha firmato un accordo con il premier sloveno Yanec Drnousek. L'intento è di blindare i confini della Slovenia con l'Italia e la Croazia, vere e proprie porte principali dell'ingresso clandestino in Europa di immigrati curdi, cinesi, iraniani. Ad arginare il fenomeno dell'immigrazione clandestina ci penserà la polizia europea: in Slovenia ieri è nato il primo nucleo. Ma il ministro Bianco non ha dubbi che questo esempio sarà di traino per far nascere una vera e propria polizia europea. A Gorizia, poi, sorgerà anche un commissariato misto: sarà un centro di coordinamento per l'espulsione dei clandestini, sul modello già esistente al confine italo-francese. È davvero incalcolabile il numero dei clandestini presenti nel nostro Paese. Molti arrivano per delinquere, ma tanti arrivano per bisogno. Ed è per questo che ieri l'europarlamentare Giorgio Napolitano ha lanciato un appello, durante la presentazione dell'anteprima del dossier statistico della Caritas, per l'approvazione della legge sull'asilo politico.[...]. E a proposito di bisogni e di rifugiati, non può sfuggire il dato della Caritas: è dall'Albania che quest'anno è aumentato maggiormente il numero di extracomunitari arrivati, oltre 26 mila in più. Un numero che porta ad oltre 142 mila il totale degli albanesi. Resta tuttavia ai marocchini il primato di presenze: sono quasi 160 mila oggi, 13 mila in più rispetto all'anno precedente. Arrivano in Italia e si fermano principalmente nel Nord. Nord-est, in particolare, in quel Triveneto ricco di forza lavoro, insieme alla Lombardia, all'Emilia Romagna, ma anche alle Marche. La novità, però, è la Toscana: nel 2000 si è registrato qui il record di presenze, con un incremento del 24 per cento del numero degli immigrati.

[Corriere della sera 03.03.2001]

Immigrati regolari stranieri nel 2000	
Totale immigrati regolari	
Percentuale immigrati rispetto alla popolazione italiana	
Lo stato europeo da cui è arrivato il numero maggiore di immigrati nel 2000	
Totale degli Albanesi in Italia	
Primato di presenze straniere in Italia (nazionalità e numero)	
Numero degli immigrati clandestini	
Gli immigrati si concentrano soprattutto	1
	2
	3
	4
Regione che ha visto nel 2000 il maggiore aumento degli immigrati (aumento percentuale)	

Continua a rallentare l'afflusso dai paesi a sviluppo avanzato ed è contenuto l'afflusso dall'Africa e dall'America Latina rispetto alla persistente pressione dai paesi dell'Est europeo e alla crescente pressione dai paesi del subcontinente indiano. Sono queste le linee di tendenza che si ricavano da una riflessione sugli aumenti dell'ultimo anno. Per i primi 10 paesi in graduatoria si è verificato questo andamento:

Marocco	159.599	(+13.108)
Albania	142.066	(+26.311)
Romania	68.929	(+17.309)
Filippine	65.353	(+ 4.391)
Cina	60.075	(+12.967)
Usa	47.418	(- 150)
Tunisia	45.680	(+1.636)
Iugoslavia	40.039	(-14.659)
Senegal	38.982	(+ 1.569)
Germania	37.269	(+ 1.897)

Quattro di questi gruppi (nell'ordine **Albania**, **Romania**, **Marocco** e **Cina**) detengono più del 50% dell'aumento intervenuto tra i soggiornanti stranieri.

[Caritas Italiana]

lessico

▶▶ **Alla scoperta della lingua** **Osserva la figura.**

Come si formano aggettivi di significato contrario?

In italiano ci sono molti prefissi che si utilizzano per cambiare il significato alle parole.
Alcuni di questi servono per rendere negativo un aggettivo e poter formare i contrari:

Particella che si mette all'inizio di una parola e ne modifica il significato: felice + prefisso in = infelice.

in - (*in*capace)
s - (*s*contento)
dis - (*dis*attento)
a - (*a*sociale)

1 Osserva i seguenti aggettivi e prova a formarne altri di significato contrario.

1 onesto ....
2 cortese ....
3 abitato ....
4 leale ....
5 armato ....
6 favorevole ....
7 politico ....
8 morale ....

2 Forma aggettivi di significato contrario e poi completa la tabella.

1 paziente ....
2 possibile ....
3 logico ....
4 sicuro ....
5 certo ....
6 responsabile ....
7 affidabile ....
8 utile ....

IN + P o B	Im	Impossibile
IN + R		
IN + L		
IN + vocale		
IN + altre consonanti		

3 Per unire le frasi hai a disposizione molte parole che conosci. Sicuramente ne hai usate diverse nell'articolo che hai scritto. Completa la tabella con un sinonimo preso dal riquadro.

Altrimenti		Siccome	
Tuttavia		Finché	
Perciò		Non appena	
Anche		A condizione che	
Neppure		Salvo che	
Malgrado		In modo che	

oppure, appena, affinché, pure, sebbene, però, poiché, fino a quando, nemmeno, tranne che, quindi, purché

4 Completa le frasi con una congiunzione.

1 Oggi pomeriggio vado in piscina ......purché/a condizione che.......... ci sia il sole.

2 .... non riesca mai a finire tutte le cose che deve fare, in questo periodo, Paolo non è troppo stressato.

3 Maria rimarrà in Italia .... avrà imparato perfettamente l'italiano.

4 Dimmi dove hai messo il mio portafoglio, ... non so cosa ti faccio!

5 Siamo a fine agosto .... dovrebbe esserci un caldo meno afoso e invece .... oggi si respira.

6 Del mio lavoro mi piace tutto, ... insegnare il congiuntivo.

5 Non sempre ci si ricorda o si conosce il nome degli oggetti. E allora per farsi capire cosa si fa? A coppie, lo studente A va a pag. VII e lo studente B a pag. VIII. Come nell'esempio, a turno uno spiega a cosa servono gli oggetti disegnati e l'altro indovina di che oggetto si tratta.

Esempio:
A : È quella cosa che serve/si usa per stirare i vestiti.
B : Il ferro da stiro.

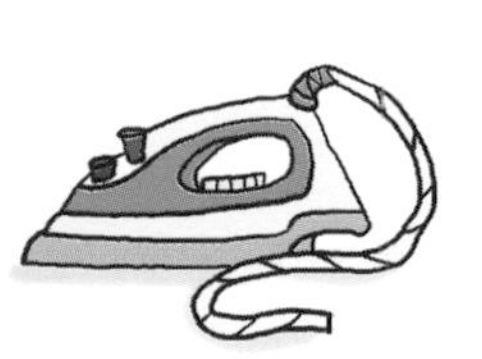

Conosci un altro modo per dire "È il tuo turno"?

grammatica

Si impersonale più riflessivi (*ci* + *si*)

Osserva l'esempio.

Vedi Rete! 2 Unità 7.

- ***Ci si*** *sente bene dopo aver fatto un po' di ginnastica.*

Nelle frasi impersonali con il **si**, la particella **si** del riflessivo si trasforma in **ci**.
- ***Ci si ricorda*** *spesso dei momenti belli trascorsi con gli amici.*

Il *participio passato* nei tempi composti ha la forma del *plurale maschile*.
- ***Ci si è sentiti*** *spesso per telefono con tua moglie, ma non l'ho mai conosciuta di persona.*

Accordi dell'aggettivo con il si impersonale

Nelle frasi in cui c'è il *si* impersonale seguito dal verbo *essere* e un aggettivo, l'aggettivo ha sempre la forma del plurale maschile.
- *Se* ***si è stressati*** *non si riesce a dormire bene.*
- *Penso che* ***si sia più contenti*** *quando si riesce a fare qualcosa di utile per gli altri.*

Questo avviene anche con altri verbi quali *ritenersi*, *considerarsi*, *sentirsi*, *vedersi*.
- *In Italia oggi* ***ci si ritiene fortunati*** *se si ha un lavoro sicuro e una casa.*
- *Spesso quando si va in pensione* ***ci si considera inutili****.*

1 Forma delle frasi, usando il *si* impersonale, coniugando i verbi e accordando gli aggettivi.

1 Stanco / si / spesso / essere / tornare / lavoro / dal / quando.
Si è spesso stanchi quando si torna dal lavoro.

2 Quando / ritenersi / molto / bravo / difficile / propri / ammettere / errori / i /essere.
....

3 Sposato / essere / quando / avere / responsabilità / doveri / e / molto.
....

4 Più / affascinante / sentirsi / quando / essere / abbronzato.
....

5 Spesso / dimenticarsi / amici / degli / perché / lavorare / troppo.
....

6 Parlare / di /cose / ieri / con / tuo / tanto / fratello / sera.
....

7 Al / quando / l' / scorsa / estate / andare / spesso / al / mare / ristorante / mangiare.
....

8 Il / scorso / mese / vedersi / molto / Marina / con.
....

Il congiuntivo trapassato

Osserva l'esempio.

- *Malgrado Stella fosse già tornata in Italia da un anno, continuava a sentire nostalgia del suo lavoro di medico in Bangladesh.*

Il **congiuntivo trapassato** si forma con il *congiuntivo imperfetto* degli ausiliari *essere* e *avere* più il *participio passato* del verbo.

Verbo *avere*		Verbo *essere*	
che (io)	**avessi**	che (io)	**fossi**
che (tu)	**avessi**	che (tu)	**fossi**
che (lui, lei)	**avesse**	che (lui, lei)	**fosse**
che (noi)	**avessimo**	che (noi)	**fossimo**
che (voi)	**aveste**	che (voi)	**foste**
che (loro)	**avessero**	che (loro)	**fossero**

La settimana scorsa — **Ieri**

- *Pensavo che Giovanni **avesse** già **traslocato** e invece mi ha telefonato ieri per chiedermi di aiutarlo.*
(Secondo me Giovanni aveva già traslocato e invece mi ha telefonato ieri per chiedermi di aiutarlo.)

Si usa con i verbi e le espressioni che reggono il congiuntivo quando si vuole esprimere un'azione passata, avvenuta prima di quella espressa dal verbo della frase principale.
Nota che il verbo principale (*pensavo*) è espresso con un tempo del passato, in questo caso l'imperfetto.

2 Abbina le frasi della colonna di sinistra a quelle della colonna di destra.

1 Quando mi è arrivata la multa da pagare
2 Appena ho visto il disordine in casa
3 Non sapevo che
4 Quando è cominciato a piovere non ricordavo
5 Sebbene molti emigranti non avessero mai imparato a leggere e scrivere,
6 Non sapevo che Mario e Francesca

a Miriam avesse vissuto in Cile per 20 anni.
b se avessi lasciato le finestre aperte.
c quando arrivarono nei nuovi paesi trovarono il modo di comunicare con la propria famiglia in Italia.
d speravo che i vigili si fossero sbagliati.
e si fossero sposati così giovani.
f ho pensato subito che ci fossero stati i ladri.

3 Completa le frasi con uno dei verbi del riquadro.

1 Non sapevo se Michela ......avesse cominciato...... a lavorare per la Dill Spa.
2 Dopo diversi anni Manuel scrisse una lettera a Gloria, nonostante non .... mai sue notizie.
3 Dubitavo che .... il mio cane a mordere il bimbo dei vicini.
4 Mi sembrava strano che Matteo .... di casa senza salutare. Probabilmente era molto arrabbiato.
5 Senza che .... quello che l'impiegato diceva, il direttore cominciò a urlare.
6 Non ero sicuro che .... del latte in frigorifero e così ne ho comprato altri due litri.

rimanere, cominciare, uscire, essere, ricevere, capire

4 Completa le frasi con il tempo corretto.

1 Malgrado ...., Marcello non ha ancora smesso di lavorare.
2 Il padre gli disse che poteva prendere tutti i soldi che voleva, purché ....
3 Silvia e Luca decisero di andare a vivere insieme prima che ....
4 La nonna mi diede 100 000 lire affinché ....
5 Sembrava che ....
6 Avevo paura che ....

Comparativi e superlativi

Vedi Rete! 2 Unità 9.

Osserva l'esempio.

- *1 Il Po è il fiume **più** grande **d'**Italia.*
- *2 È il paese **più** povero **fra** quelli che ho conosciuto.*
- *3 Questa è la canzone **più** bella **che abbia mai ascoltato**.*

Dopo il superlativo relativo normalmente si trova **di 1** per introdurre la seconda parte, ma anche **fra 2** e **che** + **congiuntivo 3** sono possibili.

Nota: non si può usare **fra** per introdurre un nome geografico come nell'esempio **1**.
Il congiuntivo si trova anche con **di quanto** + il comparativo.

- *Sei più testardo **di quanto pensassi**.*

5 Completa le frasi.

1 Raul Bova è l'attore più bello....................
2 Roma è la città più grande ....
3 Mino è il ragazzo più sensibile ....
4 La Ferrari è la macchina più famosa ....
5 È stata la vacanza più bella ....
6 Questo esercizio è più facile ....

I comparativi e i superlativi dell'avverbio

Anche con gli avverbi è possibile avere i comparativi **1** e i superlativi relativi **2** e **3** e assoluti **4**.

- ***1*** *Devo fare ginnastica* ***più frequentemente*** *di quanto faccia ora.*
- ***2*** *Lucia, ciao sono Paolo, vieni da me* ***il più presto possibile****, ti prego!*
- ***3*** *Signorina Ricci, cerchi di rispondere alla domanda* ***nel modo più sintetico e preciso possibile****.*
- ***4*** *In estate vado in piscina* ***spessissimo****.*

6 Scrivi frasi di significato contrario.

1 Il rapporto con mia moglie va benissimo.

Il rapporto con mia moglie va malissimo.

2 L'economia italiana va sempre peggio.

....

3 Sandra ha risolto il suo problema nel modo più giusto possibile.

....

4 Solitamente leggo le notizie di cronaca il più attentamente possibile.

....

5 Mi piace bere il vino nel modo più lento possibile.

....

6 Questa mattina mi sono svegliato prestissimo.

....

7 Contrari in croce. Le parole del cruciverba sono il contrario (o uno dei contrari possibili) di quelli sopra.

M
D S T A
R R I
R O
R E E
A T O

1 **Trova delle congiunzioni che possano essere sinonimi di quelle contenute nel riquadro e completa il cruciverba. Osserva l'esempio.**

Orizzontali:
4. Anche.
6. Neppure.
7. ***Ma, eppure***.
8. Eccetto.

Verticali:
1. Altrimenti.
2. Dato che.
3. Perciò.
5. Malgrado.

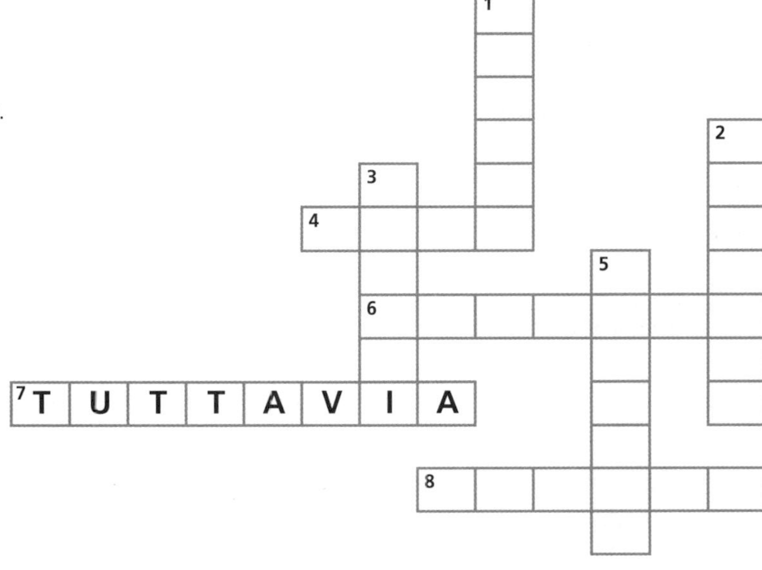

..... / 7

2 **Trova il contrario degli aggettivi contenuti nella griglia associandoli al suffisso corrispondente. Osserva l'esempio.**

	s -	Dis -	a -	- in	im -
Giusto				Ingiusto	
Tipico					
Piacevole					
Esatto					
Normale					
Uguale					
Maturo					
Paziente					
Probabile					
Fortunato					
Contento					

..... / 10

3 **Metti in ordine le seguenti frasi.**

1 così - Maria - si - è - che - non - niente - le - può - dire - permalosa

....

2 Si - quando - trova - in - si - arrossisce - ci - imbarazzo

....

3 non - quello - scrivono - ci - deve - troppo - di – fidare - che - i – giornali - si

....

4 lingue più si si diverse culture conoscono parlano più

....

..... / 4

4 **In questo dialogo sono contenuti 10 errori. Trovali e scrivi accanto la forma corretta come nell'esempio.**

Laura:	Ciao Martina, quando sei tornata? Pensavo che ***sei*** ancora via.	fossi
Martina:	In effetti avrei dovuto tornare domenica prossima se non mi avrebbero chiamato per un nuovo lavoro.	
Laura:	Di che si tratta?	
Martina:	Pare che c'è un'impresa che cerca un mediatore culturale e visto che ho abbastanza esperienza mi hanno contattato per un colloquio.	
Laura:	E che cosa dovresti fare esattamente?	
Martina:	Come sai nelle imprese italiane ormai lavorano molti stranieri e con la globalizzazione si si incontra sempre più spesso con persone che provengono da diverse parti del mondo.	
Laura:	Però ormai tutti parlano un po' l'inglese...	
Martina:	Se è solo questo sarebbe tutto più facile, ma intanto non tutti parlano l'inglese e poi ogni popolo hanno le proprie abitudini, i propri costumi ed è importante conoscerli per non creare incomprensioni.	
Laura:	Mah! Tanti problemi e poi si siamo tutti uguali...	
Martina:	Scusami, ma questa è l'osservazione più banale che si può fare, e poi siamo tutti uguali a chi? Magari a te o a me? No, cara mia, siamo tutti diversi. L'importante è conoscersi e rispettarsi...	
Laura:	Hai ragione, ho detto una banalità, e poi se ci fosse tutti uguali pensa che noia è...	

..... / 9

5 **Rileggi il dialogo precedente. Sei anche tu d'accordo con Martina? Scrivi brevemente le tue opinioni.**

....

....

....

....

....

....

..... / 10

6 **Completa le seguenti frasi con i verbi al congiuntivo trapassato scegliendo tra quelli contenuti nel riquadro.**

1. Se Laura .... di più avrebbe un'idea diversa del mondo.
2. Paolo non sapeva che Francesca .... già quarant'anni.
3. Filippo non era sicuro che .... ancora biglietti per il concerto.
4. Se Elena .... che Giorgio non sarebbe venuto, avrebbe spostato la cena.
5. Anche se gli .... lo stipendio, Franco avrebbe comunque lasciato quel lavoro.

scrivere, viaggiare, telefonare, compiere, rimanere, stare, sapere, spiegare, aumentare, finire

..... / 5

NOME:
DATA:
CLASSE:

totale ..... / 45

1 Quante persone fumano! Lavorate a coppie o a gruppi. Chi di voi non fuma intervisterà i fumatori e insieme compilerete il questionario che segue.

Perche' fumo?

Con un test semplice scoprite i motivi e le ragioni che vi spingono a fumare.

Segnate con una croce la risposta corrispondente e il numero di punti.

		Sempre	Spesso	A volte	Raramente	Mai	
a	La sigaretta mi aiuta a tenermi sveglio, concentrato e in forma.	5	4	3	2	1	
b	Tenere la sigaretta tra le dita mi dà una sensazione piacevole.	5	4	3	2	1	
c	Fumare è qualcosa di bello e distensivo.	5	4	3	2	1	
d	Quando mi arrabbio per qualche motivo mi accendo una sigaretta.	5	4	3	2	1	
e	Non riesco a sopportare quando mi finiscono le sigarette.	5	4	3	2	1	
f	Non mi accorgo nemmeno più di fumare, ormai è una cosa automatica.	5	4	3	2	1	
g	Fumo perché la sigaretta mi dà la sensazione di avere più forza e più concentrazione quando mi sento scarico.	5	4	3	2	1	
h	Anche accendere la sigaretta fa parte del piacere di fumare.	5	4	3	2	1	
i	Mi piace il sapore del tabacco.	5	4	3	2	1	
j	Fumo la sigaretta quando sono troppo teso ed eccitato.	5	4	3	2	1	
k	Non riesco a immaginare la mia vita senza la sigaretta.	5	4	3	2	1	
l	Mi succede di accendermi una sigaretta quando non ho ancora finito la precedente.	5	4	3	2	1	
m	La sigaretta è come un eccitante, mi dà una spinta e mi ricarica.	5	4	3	2	1	
n	Mi piace tenere le mani occupate giocherellando con la sigaretta, l'accendino o il pacchetto.	5	4	3	2	1	
o	Se mi offrono una sigaretta di marca diversa preferisco il sapore delle mie.	5	4	3	2	1	
p	Fumare mi aiuta a scaricare i nervi e a distendermi.	5	4	3	2	1	
q	Quando non ho potuto fumare per un certo tempo mi prende come un bisogno impellente.	5	4	3	2	1	
r	Mi accorgo talora con meraviglia di avere una sigaretta tra le labbra che ho acceso senza rendermene conto.	5	4	3	2	1	

Valutazione

1

Riportate i punteggi segnati nelle righe vuote qui a lato.
Esempio: i punti segnati per la risposta **f** devono essere riportati sulla riga **f**.

2

Sommate a tre a tre i punteggi sulla riga del totale.
Esempio: sommate insieme i punteggi ottenuti al punto **f**, **l** e **r**.

3

Il totale varia tra **3** e **15**.
Un totale di **11** o più è un valore alto, **7** o meno un valore basso.

Cosa dicono di voi i punteggi?

Il test vi dà alcune indicazioni su ciò che significa per voi il fumo.
I totali vi mostrano quanto ciascun motivo abbia per voi un peso.
Più si rivela per voi un certo motivo, più dovreste cercare di analizzare tutte le possibilità che si possono porre al posto del fumo.

Fumo automaticamente

f		Se il fumo è per voi solo un'abitudine dovrebbe essere facile smettere. È importante però che facciate attenzione a ogni sigaretta. Basta, per esempio, che prima di accendere una sigaretta facciate un attimo di riflessione.
l		
r		
totale punti		

abitudine

Fumo per caricarmi

a		Se qui ottenete un punteggio alto significa che la sigaretta è per voi un eccitante, fumare vi trasmette la sensazione di avere più forza, più slancio. Pensate a qualche cosa che vi possa procurare le medesime Sensazioni ma che sia meno dannoso!
g		
m		
totale punti		

stimolazione

Fumo per scaricarmi

d		Sensazioni sgradevoli, situazioni di tensione si possono mitigare, talora, con una sigaretta. Tuttavia ciò non perdura e comunque non è un metodo molto sano.
j		
p		
totale punti		

relax

Fumo per tenere occupate le mani

b		Esiste un'infinità di tali "giocattolini" con cui ci si può occupare ugualmente e senza maneggiare fuoco.
h		
n		
totale punti		

gestualita'

Fumo perchè è un piacere

c		Un alto punteggio significa che le sigarette vi procurano un piacere fisico o psicologico. Sicuramente ci sono moltissime cose che vi possono offrire piacere e distensione.
i		
o		
totale punti		

piacere

Non riesco a smettere

e		Se la dipendenza è forte non spaventatevi. I sintomi di astinenza si attenuano nel giro di 2-3 settimane lasciando posto a un piacevolissimo senso di libertà.
k		
q		
totale punti		

dipendenza

[Da http://www.comune.fe.it/nosmoking/test.htm]

Per ulteriori informazioni sui corsi per smettere di fumare organizzati dal **Centro Antifumo-Ser.T**. - Via Mortara n.16, Azienda USL-Ferrara telefonare allo **0532 235056** (con segreteria telefonica).

2 Tutti insieme provate ora ad analizzare i risultati dei test nella vostra classe. Usate parole prese dal riquadro.

nessuno, tutti, ognuno, qualche, vari, alcuni, pochi, ogni

Esempio: Nessuno studente nella classe fuma per mantenere la concentrazione.

3 Ascolta l'intervista a Lino che racconta la sua trasformazione da fumatore a non fumatore e rispondi alle domande.

1 Quando ha iniziato a fumare Lino? ....

2 Perché fumava? ....

3 Come ha preso il vizio? ....

4 Quali sono stati i disturbi dovuti al fumo? ....

5 Perché ha deciso di smettere? ....

6 Come sta ora? ....

7 Qual è stata la prima terapia? ....

8 Qual è il suo problema ora? ....

▶▶ **Alla scoperta della lingua** **Ascolta nuovamente l'intervista e completa la frase che segue.**

Se ....1.......... i consigli, ...2.......... prima!

Che modo del verbo e che tempo c'è nella parte **1** della frase, quella introdotta da *se*? E nella parte **2**?

L'azione è avvenuta, cioè si è realizzata nel passato oppure no?

4 Lavorate a piccoli gruppi e ripensate all'intervista a Lino. Avete mai avuto esperienze personali o di persone che conoscete che hanno cercato di liberarsi da qualche forma di "schiavitù"?

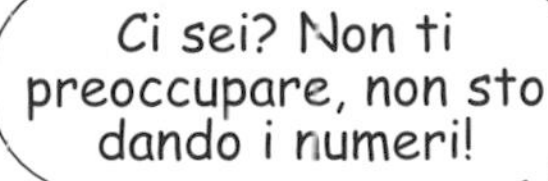

5 Ti presentiamo un'attività che potrebbe aiutarti a rendere più rapida la tua lettura.

- Guarda il testo dell'articolo senza leggerlo.
- Conta il numero di parole nelle prime 10 righe.
- Poi dividi il numero totale per 10. Il numero che risulta è il numero di parole in una riga.
- Adesso conta il numero di righe nell'articolo e moltiplicalo per il numero di parole medio in una riga.
- Il totale che risulta corrisponde più o meno al numero totale delle parole contenute nell'articolo.
- Ricorda il numero che ti risulta, ti servirà per le prossime attività.

6 Ora leggi il titolo dell'articolo. Secondo te di che cosa tratta? A coppie confrontate le vostre idee.

7 Leggi rapidamente, il più rapidamente possibile, l'articolo. Non ti soffermare sulle parole, né sui concetti, non articolare mentalmente i suoni delle parole.

Lo sapevi che l'occhio umano può fare arrivare al cervello fino a circa 1000 parole al minuto, mentre invece la lettura della maggior parte delle persone non supera le 200/250 parole? Hai due minuti di tempo.

Nevrosi da influenza ospedali in ginocchio

1 **ROMA.** Ospedali a numero chiuso, ambulanze introvabili, esperti interpellati da giorni, storici scomodati. E tutto per l'influenza. Il virus attraversa l'Italia costringendo a letto da Milano a Roma a Napoli. E contemporaneamente un altro virus, più sottile e altrettanto pericoloso paralizza i servizi di soccorso. È la fobia della malattia, l'effetto cassa di risonanza che convince molte persone ad andare in ospedale anche se potrebbero curarsi a casa.

2 **Emergenza Milano**. "Siamo al collasso: a Milano non c'è più un'ambulanza libera e per i soccorsi siamo costretti ad allertare le ambulanze dall'*hinterland*". L'allarme parte nel tardo pomeriggio dalla Centrale Operativa del 118 dove le chiamate per i casi di influenza e delle sue complicazioni si sono susseguite a ritmi da cardiopalma. "I reparti di pronto soccorso - hanno proseguito gli operatori - sono intasati e non c'è più un lettino libero dove far sdraiare i malati e quindi si è dovuto utilizzare le barelle delle ambulanze". Il risultato è stato il 'sequestro' da parte degli ospedali di molte autolettighe che, bloccate anche per più di quattro ore, non hanno potuto eseguire gli altri interventi: dopo le 18 in città non ce ne era una disponibile. Da qui la necessità di rivolgersi alle croci dei centri della provincia. "I tempi per arrivare sul luogo dell'incidente sono molto più lunghi", è l'appello lanciato dal 118 ai responsabili dei pronto soccorso milanesi. "Pur sapendo che hanno problemi, li abbiamo chiamati uno per uno - continuano dal 118 - scongiurandoli di non trattenere a lungo le autolettighe". Ma a complicare l'emergenza arriva la totale mancanza di letti e l'organico ridotto perché anche tra i medici l'influenza ha già fatto le sue vittime. A Milano sono strapieni quelli di Niguarda, Policlinico, San Carlo, Fatebenefratelli e San Giuseppe, mentre in provincia non si ricovera negli ospedali di Abbiategrasso, Bollate, Cuggiono, Magenta, Melzo e Saronno.

3 **Napoli in *overbooking***. Il più grande ospedale del Mezzogiorno è andato in tilt, troppe le richieste di ricoveri per influenza. Il professor Giuseppe Matarazzo, direttore sanitario del Cardarelli di Napoli è stato costretto a disporre il blocco dei ricoveri ordinari di medicina. "Abbiamo avuto - ha detto Matarazzo - in media il 20 per cento in più dei ricoveri, ma la situazione è completamente sotto controllo".

4 **In coda a Roma**. Affluenza record all'ospedale Sandro Pertini di Roma dove nel pomeriggio si è formata una fila di 47 pazienti, 22 sulle barelle in attesa di ricovero, il resto in attesa di essere visitate. Il direttore sanitario del Pertini Daniela Ghirelli ha spiegato: "La maggior parte sono affetti da patologie neurologiche o respiratorie, ma non è ancora l'influenza. L'epidemia è prevista per la prossima settimana". Per mancanza di posti il Policlinico Casilino ha bloccato le accettazioni per uomini e donne per 12 ore, in particolare per i reparti di medicina e osservazione breve. Assoluta mancanza di posti al San Giovanni-Addorolata. Al Figlie di San Camillo "grave congestione" del Pronto Soccorso chirurgico, assoluta mancanza di posti e totale mancanza di barelle. Situazione analoga per quanto riguarda i posti letto al reparto di medicina, uomini e donne, del Villa San Pietro e del San Carlo di Nancy.

5 **Migliaia di morti**. Ogni anno l'influenza costa alla collettività circa duemila decessi in più (per il novanta per cento persone anziane) provocati dalle conseguenze cardiache e respiratorie. I costi economici *tra* diretti e indiretti superano i 1.800 miliardi di lire. Per limitare ancora questo fenomeno, forse sarebbe necessario rendere obbligatoria la vaccinazione influenzale, quanto meno per le sole categorie a rischio. Sono le riflessioni del professor Aldo Pagni, presidente della Federazione nazionale dei medici di famiglia (Fimmg), il quale ritiene che l'andamento delle febbri influenzali sia assolutamente nella norma e che tutte le preoccupazioni eccessive siano completamente destituite di fondamento.

6 **Acqua e letto**. Secondo Silvio Garattini, direttore dell'Istituto Mario Negri di Milano, l'allarme del sovraffollamento degli ospedali non è dovuto all'eccessiva gravità del virus, ma al fatto che "nei periodi festivi, troppi medici vanno in vacanza obbligando i loro assistiti a rivolgersi ai pronto soccorso. Ed è poi un gatto che si morde la coda perché, se tanti si rivolgono all'ospedale, cresce la fobia e la corsa al ricovero". Per diminuire la richiesta di assistenza medica, la ricetta di Garattini è: "Rimanete a riposo, non abbiate fretta di alzarvi dal letto e considerate che almeno per 4 o 5 giorni dovrete restarci. Poi, cercate di idratarvi il più possibile, bevendo molta acqua e alimentandovi in modo corretto. Quindi, combattete la febbre con i tradizionali antifebbrili. Evitate, invece, di prendere gli antibiotici ai primi sintomi. Questi medicinali vanno assunti solo se si verifica un'infezione che si sovrappone all'influenza. Diffidate dei farmaci antinfluenzali che al massimo riducono l'influenza di un giorno. [...]

7 **Una spagnola francese**. E si scomodano anche gli storici per risalire alle cause della malattia. La più terribile epidemia d'influenza mai sofferta dall'umanità comparve per la prima volta in Francia nell'inverno *tra* il 1915 e il 1916 mentre infuriava la prima guerra mondiale: da incubatore fece un grosso, babelico centro di smistamento per le truppe che in massa andavano e venivano dal fronte occidentale. Ha avanzato questa nuova teoria sulle origini della spagnola un gruppo di ricercatori medici inglesi, con a capo il professor John Oxford, docente di virologia alla Royal London School of Medicine. L'influenza assassina scoppiò all'improvviso nel 1918 e in un battibaleno portò alla tomba da 20 a 40 milioni di esseri umani ma la prima fiammata risalirebbe ad almeno due anni prima, quando un'epidemia spuntata dal nulla fece scempio di soldati in un centro militare a Etaples, nel nord-ovest della Francia.

[Da *Il Corriere della Sera*, 8 gennaio 2000]

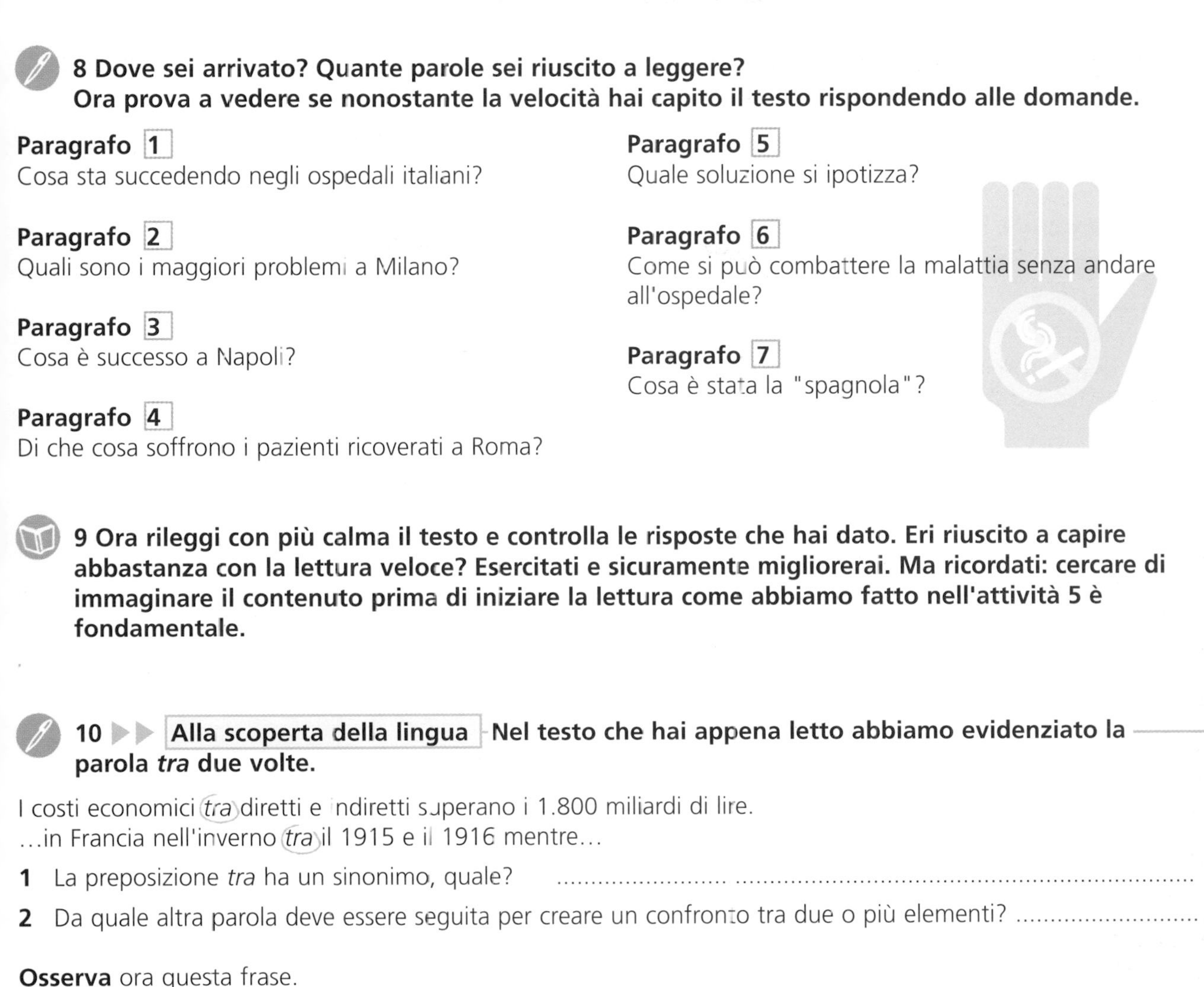

8 Dove sei arrivato? Quante parole sei riuscito a leggere?
Ora prova a vedere se nonostante la velocità hai capito il testo rispondendo alle domande.

Paragrafo 1
Cosa sta succedendo negli ospedali italiani?

Paragrafo 2
Quali sono i maggiori problemi a Milano?

Paragrafo 3
Cosa è successo a Napoli?

Paragrafo 4
Di che cosa soffrono i pazienti ricoverati a Roma?

Paragrafo 5
Quale soluzione si ipotizza?

Paragrafo 6
Come si può combattere la malattia senza andare all'ospedale?

Paragrafo 7
Cosa è stata la "spagnola"?

9 Ora rileggi con più calma il testo e controlla le risposte che hai dato. Eri riuscito a capire abbastanza con la lettura veloce? Esercitati e sicuramente migliorerai. Ma ricordati: cercare di immaginare il contenuto prima di iniziare la lettura come abbiamo fatto nell'attività 5 è fondamentale.

10 ▶▶ Alla scoperta della lingua Nel testo che hai appena letto abbiamo evidenziato la parola *tra* due volte.

I costi economici *tra* diretti e indiretti superano i 1.800 miliardi di lire.
...in Francia nell'inverno *tra* il 1915 e il 1916 mentre...

1 La preposizione *tra* ha un sinonimo, quale? ....

2 Da quale altra parola deve essere seguita per creare un confronto tra due o più elementi? ....

Osserva ora questa frase.
- ***Tra / fra*** *un mese è Natale.*

Questa frase si riferisce al ☐ presente ☐ passato ☐ futuro?

Fa' un esempio che riguardi il tuo prossimo futuro. ....
....

lessico

1 Participio passato o participio presente? Completa le frasi con la parola corretta.

1 Mi sembra che il libro che mi hai consigliato sia molto interessante / interessato.
2 Che simpatico Luciano! È così divertito / divertente!
3 Fammi capire: chi perde è il perdente / perso e per il paese che perde una guerra possiamo dire che è il paese vincente / vinto?
4 Quel profumo è così intenso. Lo trovo quasi ubriacante / ubriacato.
5 Di' quello che vuoi, che non riusciamo mai a fare qualcosa insieme..., ma non sono proprio interessante/interessato al tuo corso di cucina macrobiotica.
6 Dove hai conoscente / conosciuto la tua nuova ragazza?
7 Ieri sera alla festa di Gianmaria mi sono proprio divertito / divertente.
8 Sabato sera ho accompagnato a casa Michele perché dopo aver saputo che Marta sta con Franco si è ubriacato / ubriacante.
9 Il Signor Tonti non è un amico è solo un conoscente / conosciuto.
10 Credimi, ho sognato quel numero tutta notte. È il numero vincente / vinto. Ne sono sicuro!

2 Ripasso. Da un dottore così, proprio non ci andrei! Guarda la figura e riscrivi correttamente le parti del corpo indicate dalle frecce.

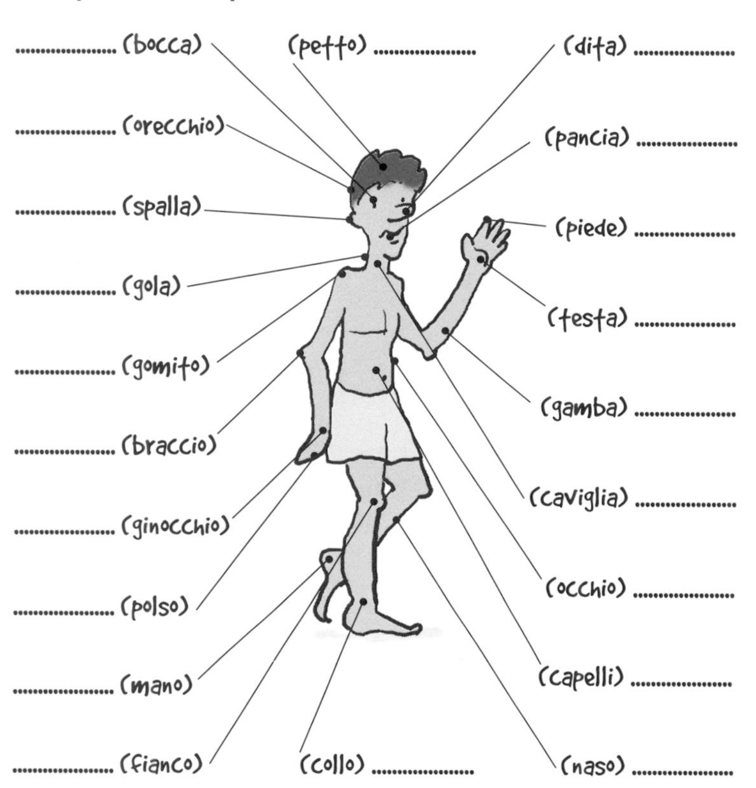

Ricordi?
Queste parole hanno plurali irregolari.

il braccio	le braccia
il ginocchio	le ginocchia
il dito	le dita
il labbro	le labbra

Ma anche:

l'osso	le ossa
il sopracciglio	le sopracciglia

3 Guarda la figura e completala con le parole del riquadro.

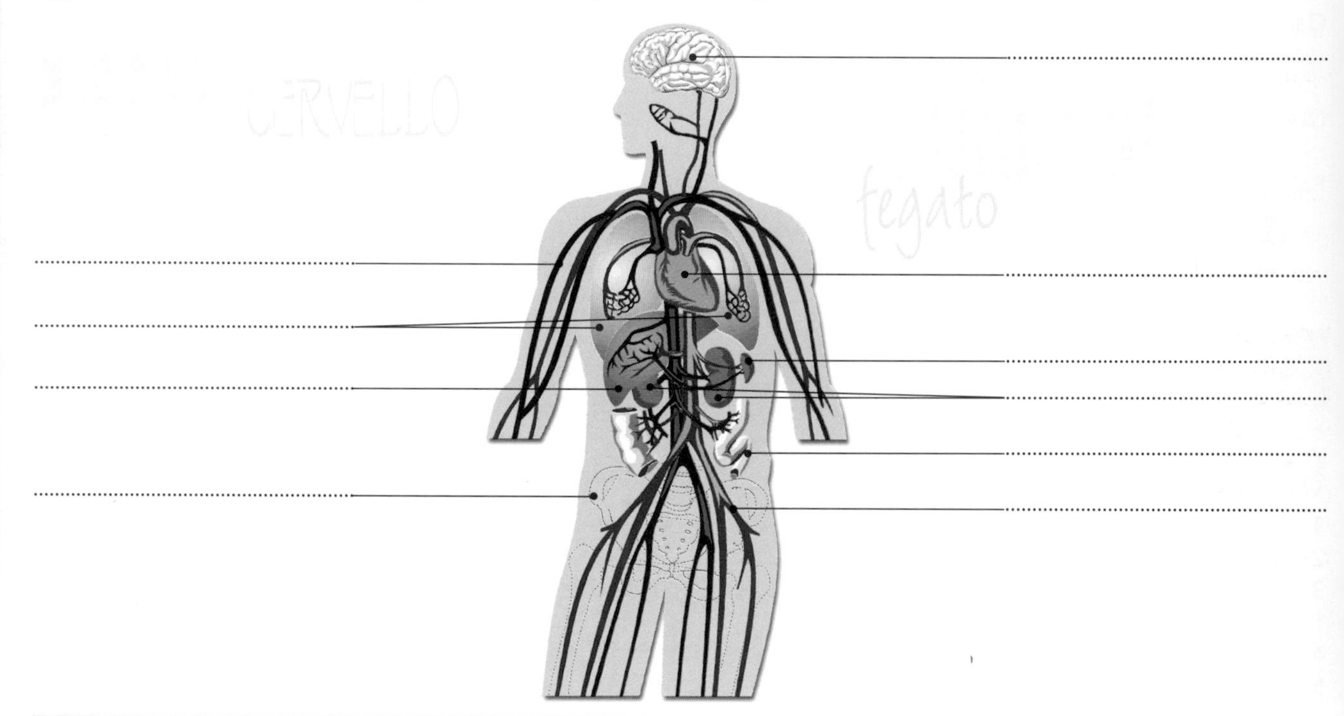

sangue, cervello, milza, ossa, intestino, cuore, vene, polmoni, reni, fegato

4 Lavora con un compagno. Uno di voi è A e va a pagina VII, l'altro è B e va a pagina VIII. Usate il dizionario se necessario e preparate una definizione per ognuna delle malattie che trovate. Poi, a turno, cercate di indovinare le malattie.

5 I verbi composti. Alcuni verbi sono usati soprattutto per fare dei composti. È il caso di *porre*, *trarre* e *-durre* (che esiste solo nei composti).
Abbina i verbi alle definizioni.

A

1	Contrarre	**a**	Allungare i termini, spostare in avanti nel tempo.
2	Ritrarre	**b**	Tirare fuori.
3	Estrarre	**c**	Isolare dalla realtà.
4	Protrarre	**d**	Prendere una malattia.
5	Astrarre	**e**	Fare un ritratto, un quadro, una foto a una persona, a un panorama, ecc.

B

1	Sedurre	**a**	Diminuire.
2	Tradurre	**b**	Creare.
3	Condurre	**c**	Passare da una lingua a un'altra.
4	Ridurre	**d**	Portare, guidare, accompagnare.
5	Produrre	**e**	Convincere ad avere un rapporto sessuale.

C

1	Supporre	**a**	Ordinare, costringere.
2	Imporre	**b**	Dare forma, creare.
3	Comporre	**c**	Immaginare , fare un'ipotesi.
4	Proporre	**d**	Presentare, mostrare.
5	Esporre	**e**	Suggerire, consigliare.

6 Hai visto come si formano questi verbi? Sapresti trovarne altri sul dizionario? Provaci con un compagno.

grammatica

Il condizionale composto			
sarei saresti sarebbe	arrivato/a	avrei avresti avrebbe	giocato
saremmo sareste sarebbero	arrivati/e	avremmo avreste avrebbero	giocato

Il **condizionale composto** si forma con il *condizionale semplice* degli ausiliari *essere* o *avere* più il *participio passato* del verbo.
Il **condizionale composto** si usa per esprimere nel *passato*
un **desiderio** non realizzato:

- *Ieri sera **sarei andato** a letto presto, ma poi sono arrivati alcuni amici e abbiamo chiacchierato fino alle due.*

una **notizia non confermata**:

- *Secondo un canale televisivo molto importante, il candidato dell'opposizione **avrebbe vinto** le elezioni tenutesi ieri in Perù.*

Il periodo ipotetico dell'impossibilità	
Condizione che non si è realizzata nel passato: **se + congiuntivo trapassato**	*Conseguenza nel passato:* **condizionale composto**
Se avessi saputo un po' d'arabo,	mi sarei trovato più a mio agio in Algeria.

Osserva attentamente la frase.

- *Se ieri sera mi dicevi che avevi bisogno d'aiuto, venivo subito da te.*

Nell'italiano parlato la struttura **se + congiuntivo trapassato + condizionale composto** è spesso sostituita da **se + indicativo imperfetto + indicativo imperfetto**.

L'ordine della frase:

Se avessi saputo un po' d'arabo,	mi sarei trovato più a mio agio in Algeria.

L'ordine della frase può anche essere invertito rispetto agli esempi, con la frase con il·se dopo la principale.

Avrei avuto un figlio prima,	se avessi saputo che era così bello fare il papà.

Una forma "mista" di questa struttura è anche possibile. Ovviamente cambiano i significati.
Osserva la frase.

Condizione che non si è realizzata nel passato: **se + congiuntivo trapassato**	*Conseguenza nel presente:* **condizionale semplice**
Se avessi studiato un po' d'arabo,	ora potrei parlare con i miei colleghi marocchini.

1 Fa' della frasi usando il periodo ipotetico nelle sue varie forme.

1 Ieri sera ho bevuto troppo e oggi ho il mal di testa.
...... Se ieri sera avessi bevuto meno, oggi non avrei il mal di testa. ......

2 Il film è iniziato alle 8. Non siamo arrivati in tempo.
....

3 Sandro ha smesso di fumare. Ma ha già una bronchite cronica.
....

4 Forse domani arriva mia zia e mi porta il torrone spagnolo che mi piace tanto.
....

5 Molti italiani non conoscono nemmeno una lingua straniera e quando viaggiano si sentono a disagio.
....

6 Dovete fare più esercizi di grammatica, altrimenti non imparerete queste regole.
....

2 Abbina le frasi delle due colonne.

1 Se imparerai a giocare a biliardo,
2 Se avessi più soldi,
3 Se smetterà di piovere,
4 Se non avessi conosciuto mio marito,
5 Se mi darai il tuo e-mail,
6 Se hai sonno,
7 Se non avessi paura dell'acqua,
8 Se tu non esistessi,

a ti inviterei a fare una vacanza in barca con me.
b andrò a fare un giro in bici.
c puoi riposare un po' nella stanza degli ospiti.
d cambierei casa.
e sarei la persona più felice del mondo.
f ti manderò dei messaggi.
g ti sfiderò nel mio bar.
h bisognerebbe inventarti.

3 Trasforma le frasi.

1 Se avevate voglia di andare al mare, potevamo andarci insieme ieri.
...... Se aveste avuto voglia di andare al mare, saremmo potuti andarci insieme ieri. ......

2 Venivo anch'io da Carlo, se non dovevo andare alla riunione del condominio.
....

3 Se non avevo tanto lavoro da fare, partivo con Suly per il Messico.
....

4 Se studiavi di più, potevi prendere un voto molto più alto.
....

5 Se ci mettevate meno sale, la vostra pasta era quasi mangiabile.

....

6 Se Giorgio tornava a casa prima, non trovava sua madre alzata ad aspettarlo per sgridarlo.

....

4 Completa con il tempo e modo necessario.

1 Giacomo, se ....finisci.......... presto di lavorare, mi ....vieni............ a trovare? (*finire*, *venire*)

2 Mamma, se .... in tempo, ... il Natale nella tua nuova casa. (*traslocare*, *festeggiare*)

3 Se Martino non .... la sua nuova ditta a Milano, ora .... ancora qui a lavorare insieme. (*aprire*, *essere*)

4 La notizia non mi .... di sorpresa, se i miei mi .... sul cellulare. (*cogliere*, *chiamare*)

5 Se domani non .... il raffreddore, ... a nuotare in piscina. (*avere*, *andare*)

6 .... venire a sciare con noi, se ti .... il ginocchio. (*potere*, *rompere*)

Gli indefiniti

Gli **indefiniti** possono essere di tre tipi:
- *solo aggettivi*
- *aggettivi e pronomi*
- *solo pronomi.*

I seguenti **indefiniti** sono usati solo come **aggettivi**:

Ogni

- ***Ogni*** *volta che vedo Patrizia mi ricordo delle vacanze che abbiamo fatto insieme in Corsica.*

Osserva la posizione di **ogni**.
Dove va?
Sai pensare a un sinonimo?
Il nome che segue è plurale o singolare?
Ogni non cambia mai, è invariabile.

Qualche

Anche **qualche** è invariabile, si usa sempre con un nome al singolare e viene prima del nome.
Osserva l'esempio.
Conosci un sinonimo di **qualche**?

- *Vorrei qualche mela e un grappolo d'uva, per favore.*

Vedi RETE! 2 Unità 6.

Qualunque / qualsiasi

sono sinonimi. Significano *tutto/i, non importa chi/quale*. Sono invariabili. Possono precedere o seguire il nome.

- ***Qualunque/qualsiasi*** *esame Pietro faccia, prende sempre ottimi voti.*

Qualsìasi ha l'accento sulla prima **i** e non sulla **a**.

I seguenti **indefiniti** sono usati come **aggettivi** e **pronomi**:

Alcuni / e

Significa *qualche*, ma è plurale e si accorda al genere (maschile, femminile).
Precede il nome quando è aggettivo (es. **1**), mentre quando è pronome (es. **2**) il nome non è espresso.

- ***1*** *Mi mancano ancora* ***alcuni*** *giorni alla partenza per Parigi, ma sono già nervosissimo.*
- ***2*** *Ho ordinato molti libri in libreria la settimana scorsa, ma* ***alcuni*** *non sono ancora arrivati.*

Nessuno

È usato solo al singolare ed è variabile solo nel genere.
Ha una costruzione che richiede un po' di attenzione.
Guarda i due esempi.
Quand'è che il verbo è alla forma negativa?

- ***1*** *Non ho ancora visto* ***nessun*** *film interessante quest'anno al cinema.*
- ***2 Nessuno*** *studente ha superato l'esame con il massimo dei voti.*
- ***3*** *Ho suonato varie volte, ma a casa di Leonardo non c'era* ***nessuno****.*

Se segue il verbo vuole la negazione *non*.
Negli esempi **1** e **2** *nessuno* è aggettivo e segue la regola dell'articolo indeterminativo: *un*, *uno*, *una*, *un'*.

I seguenti **indefiniti** sono usati solo come **pronomi**.

Niente/nulla

Significano *nessuna cosa* e sono invariabili.

- *Non mi ricordo* ***niente*** */* ***nulla*** *di quello che ho studiato ieri.*
- ***Niente*** */* ***nulla*** *lascia pensare che domani il tempo migliorerà.*

Come *nessuno*, se seguono il verbo vogliono la negazione *non*.

Chiunque

È invariabile e si usa solo al singolare.
Leggi la frase seguente.

- *Vorrei scambiare e-mail con* ***chiunque*** *abbia voglia di discutere di cinema italiano.*

Cosa significa *chiunque*?

In qualsiasi posto ☐ In ogni modo ☐ Qualunque persona ☐

Ognuno

È usato solo al singolare ed è variabile nel genere.
Significa *ogni persona* ed ha un sinonimo: *ciascuno,* che però è usato anche come aggettivo.

- ***Ognuno*** *ha bisogno di affetto.*

Hai già conosciuto molti degli indefiniti presentati sopra. Eccone alcuni altri
qualcosa **qualcuno** **uno**
e quelli che esprimono quantità in ordine dal *niente* al *tutto*.

Niente
nulla

poco
(pochi)

alcuni

vari/diversi

parecchi

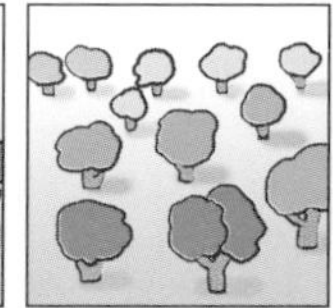
molto/tanto
(molti/tanti)

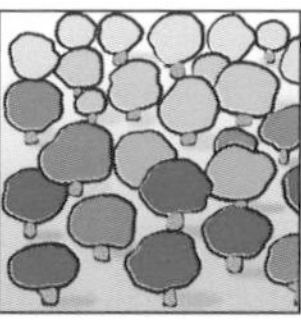
troppo
(troppi)

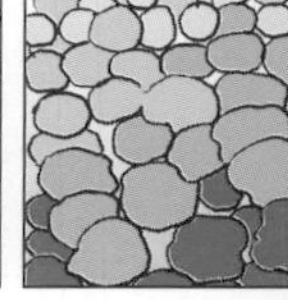
tutto
(tutti)

5 Completa le frasi con l'indefinito appropriato. A volte è possibile più di una soluzione.

1 Non mi ricordo ....niente..................... delle persone che ho conosciuto in vacanza l'estate scorsa.

2 .... riviste on line possono essere utili per imparare l'italiano.

3 Quasi .... le città italiane sono vecchie di secoli.

4 Sono ancora .... le ditte italiane che hanno deciso di vendere solo attraverso il commercio elettronico, mentre in altri paesi sono già molte.

5 .... volta che vado a Roma mi sembra di essere in un'altra epoca.

6 Vi ho chiamato .... volte, ma non riesco mai a trovarvi.

7 .... di voi può sperare di entrare all'università per fare il master che desidera, perché quest'anno ci sono ancora molti posti.

8 Non c'è .... speranza di ritrovare in vita le persone sepolte sotto la valanga di ieri sera.

6 Riscrivi le frasi con il significato contrario.

1 Mi piacciono tutti i piatti italiani.

Non mi piace nessun piatto italiano.

2 Nessuno si ricorderà di te quando tornerai nel tuo paese.

....

3 Nella biblioteca della scuola ci sono alcuni testi del 1600.

....

4 Non conosco nessuno che possa prestarti un dizionario cinese - italiano.

....

5 In molti casi i miei amici preferiscono una cena al ristorante piuttosto che una serata in discoteca.

....

6 Quest'anno ogni lavoratore riceverà il pacco di Natale.

....

Ci di luogo con i pronomi personali combinati

Leggi nuovamente questa frase che hai trovato nella sezione del lessico, Attività 2.

Da un dottore così, proprio non ci andrei!

Ci significa *dal dottore*, cioè indica un luogo.

Osserva ora la vignetta.

Quando il pronome di luogo ***ci*** si combina con un pronome personale ecco come si comporta:

Mi	*ti*	*lo*	*la*	*ci*	*vi*	*li*	*Le*	*si*	*ne*
Mi ci	ti ci	ce lo	ce la	non esiste	vi ci	ce li	ce le	ci si	ce ne

- *Penny deve andare all'asilo prima questa mattina?*
- *D'accordo,* ***ce la*** *porto io.*

7 Correggi gli eventuali errori nelle parti in corsivo.

1 - Hai detto a Martin che arriviamo a Berlino domenica sera?
- Sì, *ce l*'ho detto.

gliel'

2 - Cecilia, sei già stata a Sorrento?
- Sì, non ti ricordi, *mi ci* hai portata in viaggio di nozze!

....

3 - Filippo, dove hai messo le mie chiavi?
- Guarda che *ce le* ho ridate quando siamo arrivati a casa!

....

4 - Ragazzi, so che vorreste andare al parco invece di fare lezione. Se riusciamo a finire questa parte, *ci vi* accompagno fra mezz'ora.

....

civiltà Gli uomini e la bellezza

> **Vanesio**: persona che si compiace di sé, di solito del suo aspetto fisico.

1 Leggi l'articolo e fa' un elenco delle cure cosmetiche e degli interventi chirurgici a cui si sottopongono gli uomini.

ATTUALITA'

di **LETIZIA GABAGLIO**

Maschio 2001 - Narciso anch'io

Chirurgia estetica per eliminare pancetta e doppio mento.
Ore di palestra per scolpire il petto.
Botulino per tirare le rughe.
Creme e lozioni anti-età.
Gli uomini scoprono i segreti della beauty.
Ed è subito business

Vanesi oltre misura. Così i chirurghi plastici descrivono i loro clienti più assidui: gli uomini. Di tutte le età e con tante esigenze diverse. Sono loro i nuovi narcisi che si curano ormai più delle donne, e non solo corrono dal chirurgo per togliere di mezzo pancette, maniglie dell'amore o borse sotto gli occhi, ma si attengono a rigidi programmi alimentari, si spalmano come cocottes di creme e balsami, si sfiniscono in palestra sperando in quadricipiti da supereroe. Il settimanale americano "Time" racconta della generazione dei cinquantenni ricchi, che nel vuoto di vite consumate tra Wall Street e i divorzi corrono dal cosmetologo in cerca di una nuova gioventù, di un elisir che li tenga giovani per sempre. Ma, a ben guardare, il fenomeno, almeno in Italia, è assai più trasversale.

Se quanto vediamo in spiaggia non basta, ecco i dati dell'indagine fatta dall'Istituto Directa di Milano per Vichy su un campione di 1.000 uomini fra i 18 e i 64 anni: il 21 per cento della popolazione maschile si definisce molto attenta al proprio benessere, con una maggiore concentrazione nella fascia d'età fra i 25 e i 44 anni, e ben l'84 per cento degli intervistati dichiara di mettersi davanti allo specchio per scoprire i propri difetti.

Prima di tutto quelle della pelle. La pelle del viso degli uomini invecchia a causa della disidratazione, delle rasature quotidiane, ragione in più per scegliere prodotti cosmetici fluidi, non grassi e dall'effetto finale opaco. E quando la cosmetica non basta, arriva in aiuto il bisturi. Zigomi ritoccati per apparire più decisi, mento più prominente per darsi importanza. E poi fianchi e addome snelliti dal grasso in eccesso. Infine, collo e fronte senza ombra di rughe.

Un fenomeno dalle cifre interessanti. Opinione unanime degli esperti è che negli ultimi dieci anni ci sia stato un aumento del 30 per cento del ricorso alla chirurgia plastica maschile. Molto spesso arrivano dal chirurgo plastico dopo una delusione amorosa o lavorativa, e credono di poter risolvere i loro problemi così». Sensazione confermata anche da quanto avviene oltreoceano, dove l'ultima moda fra i giovani maschi di New York sembra essere quella di rifarsi il mento. Simbolo di forza e determinazione. A cui si può aggiungere anche la liposuzione del collo o il rifacimento della mandibola. I modelli: Arnold Schwarzenegger, Michael Douglas o Brad Pitt.

Mascella dura, quindi. Ma non sempre, perché talvolta al modello-macho si contrappone la ricerca di una certa femminilità sulla scia dei modelli ambigui che popolano le pubblicità.

Per questo fra gli interventi più ambiti c'è la depilazione definitiva: a chiederla sono più uomini che donne.

E la chiedono soprattutto sul petto, nuova zona di culto per i novelli narcisi. Su cui sempre più spesso interviene il chirurgo.

[Da *L'Espresso*, 23 agosto 2001]

2 Cosa pensi della chirurgia plastica per gli uomini? Discutine con i tuoi compagni, poi fate un piccolo sondaggio in classe distinguendo tra uomini e donne.

Per le donne:
preferisci un uomo con i suoi piccoli difetti fisici oppure vorresti che li eliminasse ricorrendo alla chirurgia plastica?

Per gli uomini:
ti sottoporresti alla chirurgia plastica per eliminare un tuo difetto fisico?

1 **Nel diagramma si nascondono otto aggettivi o pronomi indefiniti. Trovali ed evidenziali. Osserva l'esempio.**

A	H	U	N	D	F	G	C	U	D	M
E	S	D	**Q**	**U**	**A**	**L**	**C**	**O**	**S**	**A**
A	L	Q	U	A	F	G	I	U	N	D
L	Q	U	A	L	C	H	E	U	S	O
A	L	O	L	A	L	O	S	Q	U	A
I	N	O	U	D	A	Q	U	A	N	L
N	O	G	N	I	N	A	U	T	A	C
A	U	L	Q	A	I	U	T	U	M	U
L	A	D	U	A	U	R	A	N	T	N
L	A	N	E	S	S	U	N	O	C	I
L	O	V	A	U	Q	A	I	I	L	E
C	H	I	U	N	Q	U	E	A	S	U
G	U	R	U	Q	A	N	N	T	O	N
A	B	E	I	S	S	Q	T	A	T	T
S	T	R	A	B	U	S	E	M	A	Q

..... / 7

2 **Completa i mini-dialoghi tra Laura e Francesca con gli aggettivi o pronomi indefiniti.**

1 *Francesca*: Laura, che sorpresa!
Laura: Ciao Francesca, è un po' che non ci si vede.
Francesca: Dai, andiamo a bere ....qualcosa.... !
Laura: Volentieri, dove andiamo?
Francesca: Non saprei, un bar .... qui vicino, purtroppo non ho molto tempo. Da queste parti ci sono .... bar molto carini. Vieni ti porto io che abito da queste parti.

2 *Laura*: Francesca tu cosa prendi?
Francesca: Mah, a quest'ora non saprei... un analcolico.
Cameriere: Ha .... preferenza?
Francesca: No, faccia lei, uno ....
Laura: io invece .... volta che vengo qui prendo un caffè con la panna. Come lo fanno qui non lo fa ....

3 *Francesca*: Allora cosa mi racconti di bello? Sono mesi che non ci vediamo e sono sicura che hai .... novità.
Laura: A dire il vero non mi è successo .... di straordinario. Vedo .... amici, sempre gli stessi, ma sai, ... ha mille cose da fare e ci incontriamo solo il fine settimana per fare .... insieme.
Francesca: E dei vecchi compagni?
Laura: No, ormai ci siamo persi, non vedo più ....
Francesca: Allora dai, adesso che ci siamo riviste organizziamo .... cena insieme così ci si ritrova e ti presento un po' di gente.
Laura: D'accordo, mi fa molto piacere, sei sempre splendida.

..... / 13

3 **Metti in ordine le frasi.**

1 mi - questi - proprio - con - non - trovo - ci - occhiali

....

2 mette - Marta - ci - morire - si - ridere - da - quando - fa

....

3 ci - ragazza - vedo - con - proprio - ti - quella - non

....

4 a - bene - ci - vive - proprio - Venezia - si

....

..... / 4

4 **Osserva le vignette e scrivi delle frasi utilizzando le forme del periodo ipotetico. Osserva l'esempio.**

a b c d e f

a Se Franco non avesse giocato tutto quello che aveva al casinò non sarebbe rimasto senza soldi

b ....

c ....

d ....

e ....

f ....

..... / 10

5 **Nel testo che segue ci sono sette errori nei tempi verbali. Individuali e scrivi a fianco la forma corretta.**

Buongiorno, parla Gagliardi, c'è il dottore?	
Sì, ma in questo momento sta visitando, vuol dire a me?	
Senta, ho un gran mal di denti, forse ho un ascesso, ***sarei*** possibile venire subito?	sarebbe
Mi dispiace, subito subito non è possibile, il dottore sta facendo un intervento	
piuttosto delicato. Se avrebbe telefonato prima magari la visiterebbe, ma	
purtroppo adesso...	
È che mi fa un male...	
Dovrebbe prendere un analgesico così intanto si calmi il dolore, le andrà bene	
venire nel primo pomeriggio?	
Vediamo... se riuscirei a spostare un impegno... è possibile verso le 15?	
Certo, va benissimo, lei, scusa, è la signora...	
Gagliardi, Maria Grazia Gagliardi.	
Bene a più tardi allora, arrivederla.	

NOME:
DATA:
CLASSE:

..... / 6

totale ..... / 40

unità 7 la letteratura

1 Lavora con due compagni. Che cos'è per voi la letteratura? Parlatene insieme.

2 Sempre in gruppi di tre scrivete una definizione di *letteratura*.

3 Ascolta l'intervista e completa la tabella.

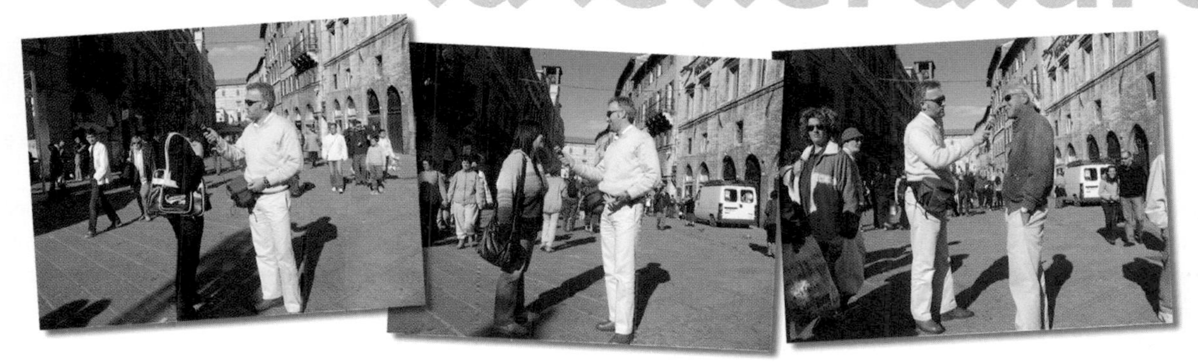

	Cos'è la letteratura per queste persone?	Quanti libri leggono all'anno?
Donna		
Ragazza		
Uomo		

4 Ascolta nuovamente l'intervista. Quale dei tre atteggiamenti verso la letteratura si avvicina di più al tuo? Perché?

5 ▶▶ Alla scoperta della lingua – Nella prima intervista il giornalista dice:

[...] ho visto che stava guardando la vetrina della libreria e **ho pensato** che le **avrei potuto** fare un paio di domande...

Che tempi verbali sono?

ho pensato: ....

avrei potuto fare: ....

Avrei potuto fare esprime un futuro nel passato. Cioè un'azione che ora è passata, ma futura rispetto a quella espressa dalla principale: *ho pensato*.

Quindi il futuro nel passato si esprime con il ....

E nella tua lingua? ....

6 Leggi il testo che segue, tratto da *Il barone rampante* di Italo Calvino e completa le frasi.

[…] Lei è il brigante Gian dei Brughi?
- Come mi conosce?
- Eh, così, di fama.
- E lei è quello che non scende mai dagli alberi?
- Sì, come lo sa?
- Be', anch'io, la fama corre.

Si guardarono con cortesia, come due persone di riguardo che s'incontrano per caso e sono contente di non essere sconosciute l'una all'altra. Cosimo non sapeva cos'altro dire, e si rimise a leggere.
- Cosa legge di bello?
- Il *Gil Blas* di Lesage.
- È bello?
- Eh, sì.
- Le manca tanto a finirlo?
- Perché? Be', una ventina di pagine.
- Perché quando l'aveva finito volevo chiederle se me lo prestava, - sorrise, un po' confuso. - Sa, passo le giornate nascosto, non si sa mai cosa fare. Avessi un libro ogni tanto, dico. Una volta ho fermato una carrozza, poca roba, ma c'era un libro e l'ho preso. Me lo sono portato su, nascosto sotto la giubba; tutto il resto del bottino avrei dato, pur di tenermi quel libro. La sera, accendo la lanterna, vado per leggere… era in latino! Non ci capivo una parola… - Scosse il capo. - Vede, io il latino non lo so…
- E be', latino, caspita, è duro, - disse Cosimo, e sentì che suo malgrado, stava prendendo un'aria protettiva.
- Questo qui è in francese…
- Francese, toscano, provenzale, castigliano, lì capisco tutto, - disse Gian dei Brughi. - Anche un po' di catalano: *Bon dia! Bona nit! Està la mar mòlt alborotada.*
- In mezz'ora Cosimo finì il libro e lo prestò a Gian dei Brughi.

Così cominciarono i rapporti tra mio fratello e il brigante. Appena Gian dei Brughi aveva finito un libro, correva a restituirlo a Cosimo, ne prendeva in prestito un altro, scappava a rintanarsi nel suo rifugio segreto, e sprofondava nella lettura.

A Cosimo i libri li procuravo io, dalla biblioteca di casa, e quando li aveva letti me li ridava. Ora cominciò a tenerli più a lungo, perché dopo letti li passava a Gian dei Brughi, e spesso tornavano spelacchiati nelle rilegature, con macchie di muffa, striature di lumaca, perché il brigante chissà dove li teneva.

In giorni stabiliti Cosimo e Gian dei Brughi si davano convegno su di un certo albero, si scambiavano il libro e via, perché il bosco era sempre battuto dagli sbirri. Quest'operazione così semplice era molto pericolosa per entrambi: anche per mio fratello, che non avrebbe potuto certo giustificare la sua amicizia con quel criminale! Ma a Gian dei Brughi era presa una tal furia di letture, che divorava romanzi su romanzi e, stando tutto il giorno nascosto a leggere, in una giornata mandava giù certi tomi che mio fratello ci aveva messo una settimana, e allora non c'era verso, ne voleva un altro, e se non era il giorno stabilito si buttava per le campagne alla ricerca di Cosimo, spaventando le famiglie nei casolari e facendo muovere sulle sue tracce tutta la forza pubblica d'Ombrosa.

[Italo Calvino,
Il barone rampante,
Oscar Mondadori,
Torino 1957]

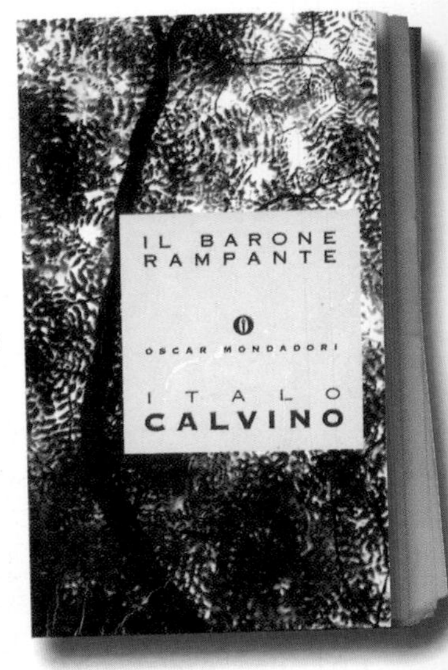

1 Gian dei Brughi è ....

2 Cosimo è ....

3 Gian dei Brughi vede Cosimo che si rimette a leggere e ....

4 Gian dei Brughi trascorre le sue giornate ....

5 Dopo questo primo libro ....

6 Quando Gian dei Brughi finisce un libro ....

7 Lavora con un compagno. Vi piace questa storia? Perché? Che riflessioni vi suscita?

8 Leggi ora il nuovo testo, un racconto di Gianni Rodari e scrivi un breve riassunto della storia.

Il Professor *Grammaticus*

Il professor *Grammaticus*, viaggiando in treno, ascoltava la conversazione dei suoi compagni di scompartimento. Erano operai meridionali, emigrati all'estero in cerca di lavoro: erano tornati in Italia per le elezioni, poi avevano ripreso la strada del loro esilio.

Io *ho andato* in Germania nel 1958 - diceva uno di loro.

Io *ho andato* prima in Belgio, nelle miniere di carbone. Ma era una vita troppo dura.

Per un poco il professor *Grammaticus* li stette ad ascoltare in silenzio. A guardarlo bene, però, pareva una pentola in ebollizione. Finalmente il coperchio saltò, e il professor *Grammaticus* esclamò, guardando severamente i suoi compagni:

Ho andato! Ho andato! Ecco di nuovo il benedetto vizio di tanti italiani del Sud di usare il verbo avere al posto del verbo essere. Non vi hanno insegnato a scuola che si dice: "sono andato"?

Gli emigranti tacquero, pieni di rispetto per quel signore tanto perbene, con i capelli bianchi che gli uscivano di sotto il cappello nero.

Il verbo andare, - continuò il professor *Grammaticus*, - è un verbo intransitivo, e come tale vuole l'ausiliare essere.

Gli emigranti sospirarono. Poi uno di loro tossì per farsi coraggio e disse: - Sarà come dice lei, signore. Lei deve aver studiato molto. Io ho fatto la seconda elementare, ma già allora dovevo guardare più alle pecore che ai libri. Il verbo andare sarà anche quella cosa che dice lei.

- Un verbo intransitivo.-

- Ecco, sarà un verbo intransitivo, una cosa importantissima, non discuto. Ma a me sembra un verbo triste, molto triste. Andare a cercar lavoro in casa d'altri... Lasciare la famiglia, i bambini.

Il professor *Grammaticus* cominciò a balbettare, i bambini.

- Certo... Veramente... Insomma, però... Comunque si dice, *sono andato*, non *ho andato*. Ci vuole il verbo essere: io sono, tu sei, egli è...

- Eh,- disse l'emigrante, sorridendo con gentilezza, - io sono, noi siamo!... Lo sa dove siamo noi, con tutto il verbo essere e con tutto il cuore? Siamo sempre al paese, anche se abbiamo andato in Germania e in Francia. Siamo sempre là, è là che vorremmo restare, e avere belle fabbriche per lavorare, e belle case per abitare.

E guardava il professor *Grammaticus* con i suoi occhi buoni e puliti. E il professor *Grammaticus* aveva una gran voglia di darsi dei pugni in testa. E intanto borbottava tra sé: - Stupido! Stupido che non sono altro. Vado a cercare gli errori nei verbi... Ma gli errori più grossi sono nelle cose!

....

....

....

....

....

....

....

9 Lavora con un compagno. Qual è secondo voi la morale della storia? Provate a scriverla insieme.

Morale di una storia: ciò che si impara da una storia, ciò che la storia vuole insegnare.

....

....

....

....

....

....

lessico

1 I sinonimi. Conosci questa parola: *recarsi*? Prova a scrivere una tua definizione del termine.

....

....

....

Spesso quelli che sembrano sinonimi in realtà non lo sono completamente.
Ad esempio: *andare* e *recarsi*.
- *Domani vado al cinema.*
- *Domani mi reco al cinema.*

La prima frase va benissimo, la seconda no. Infatti *recarsi* è una parola troppo formale per una situazione come questa.

2 Forma coppie di sinonimi abbinando le parole di destra a quelle di sinistra.

1	comprare	**a**	parte
2	celebre	**b**	alzare
3	pezzo	**c**	rabbia
4	sollevare	**d**	famoso
5	collera	**e**	attendere
6	riparare	**f**	acquistare
7	aspettare	**g**	ordinare
8	comandare	**h**	aggiustare

3 Conosci dei sinonimi delle seguenti parole. Se ne hai bisogno, cercali sul dizionario.

1 Evento	Fatto	**6** Matto	....
2 Cambiare	....	**7** Sposato	....
3 Regalo	....	**8** Finire	....
4 Aumentare	....	**9** Arrivare	....
5 Bugia	....	**10** Abitare	....

4 I contrari. Come esistono sinonimi, esistono parole che esprimono il significato contrario. Sostituisci le parole in corsivo con un contrario.

1 Ieri sera ho visto il *peggior* film della mia vita.

miglior

2 Ho *amato* tanto quella persona e invece adesso…

....

3 Mio figlio è abbastanza *buono*, ma solo nelle situazioni che sceglie lui.

....

4 Gira alla prima laterale a *destra* e poi va' dritto fino al semaforo.

....

5 È un atteggiamento veramente *adeguato* in questa circostanza.

....

6 Ho appena *cominciato a* leggere l'ultimo libro di Camilleri.

....

5 Prova a trovare delle parole che stanno a metà tra queste coppie di contrari.

1 Bello ...carino... Brutto
2 Grasso .... Magro
3 Nero .... Bianco
4 Grande .... Piccolo
5 Montagna .... Pianura
6 Ubriaco .... Sobrio
7 Caldo .... Freddo
8 Ricco .... Povero

6 Gli omografi. Parole che hanno la stessa forma, ma significato diverso. Cerca sul dizionario il significato delle parole che seguono. Ma attenzione spesso l'accento è diverso!

1 Sette = ...numero 7... > ...plurale della parola setta...
2 Principi = ... > ....
3 Seguito = ... > ....
4 Ambito = ... > ....
5 Pesca = ... > ....
6 Tasso = ... > ....
7 Subito = ... > ....
8 Anche = ... > ....

7 Molte parole hanno significati diversi a seconda del contesto. Scrivi frasi in cui le stesse parole, quelle scritte in corsivo, hanno un significato differente.

1 La letteratura è *espressione* dell'animo umano.
...Quando ero a scuola, in matematica, non ho mai capito le espressioni...

2 Sono salito sul *ramo* più alto dell'albero per riprendere il mio gattino.
....

3 Non ho visto la *fine* dell'opera, mi sono addormentato.
....

4 Il *pubblico* ha apprezzato il tenore, ma non la soprano.
....

5 Mia moglie è stata operata di *calcoli* ai reni.
....

6 L'estate scorsa mi hanno offerto un *posto* molto interessante, ma non l'ho accettato.
....

civiltà Una mappa della letteratura

1 Con i tuoi compagni prepara una statistica sulle attività culturali della tua classe. Segui lo schema.

Attività	Numero studenti	Percentuale nella classe	Attività	Numero studenti	Percentuale nella classe
Guardare la televisione			Andare al cinema		
Ascoltare musica rock			Andare a teatro		
Ascoltare musica classica			Visitare musei o mostre		
Ascoltare la radio			Leggere un libro		
Andare a un concerto di musica rock			Visitare una libreria		
Andare a un concerto di musica classica			Frequentare una biblioteca		

A quale posto della classifica è la lettura? E la frequentazione delle biblioteche?

2 I giovani e la lettura in Italia. Osserva lo schema e indica:

- a a quale posto di una ipotetica classifica dei consumi culturali giovanili è la lettura;
- b a quale età si legge di più;
- c cosa accade con l'avanzare dell'età riguardo la lettura;
- d cosa accade riguardo alle visite a una biblioteca.

consumi culturali giovanili per fascia di età - anno 1997

(Composizione percentuale)

Attività	*	15 - 17 anni	18 - 20 anni	21 - 24 anni	25 - 29 anni	Media
Guardare la televisione	1	97,3	98,0	97,5	96,2	97,2
Ascoltare musica rock	2	85,3	86,2	86,6	86,9	86,4
Ascoltare musica classica	2	28,7	28,1	32,2	37,2	32,4
Ascoltare la radio	1	87,3	89,7	86,1	81,9	85,7
Andare a un concerto di musica rock	2	15,7	14,7	17,5	16,3	16,2
Andare a un concerto di musica classica	2	3,7	4,0	4,1	7,1	5,0
Andare al cinema	2	71,8	71,2	76,0	67,7	71,6
Andare a teatro	2	26,2	21,0	19,9	20,5	21,4
Visitare musei o mostre	3	34,7	30,4	26,6	28,1	29,2
Leggere un libro	2	78,8	70,5	70,8	67,1	70,8
Visitare una libreria	2	46,6	45,8	45,4	50,1	47,2
Frequentare una biblioteca	2	45,1	46,7	39,4	27,6	38,1

[tratto da, *Il libro dei fatti 1999*, AdnKronos libri]

*
1 Almeno un' ora al giorno
2 Almeno una volta negli ultimi 3 mesi
3 Almeno una volta negli ultimi 6 mesi

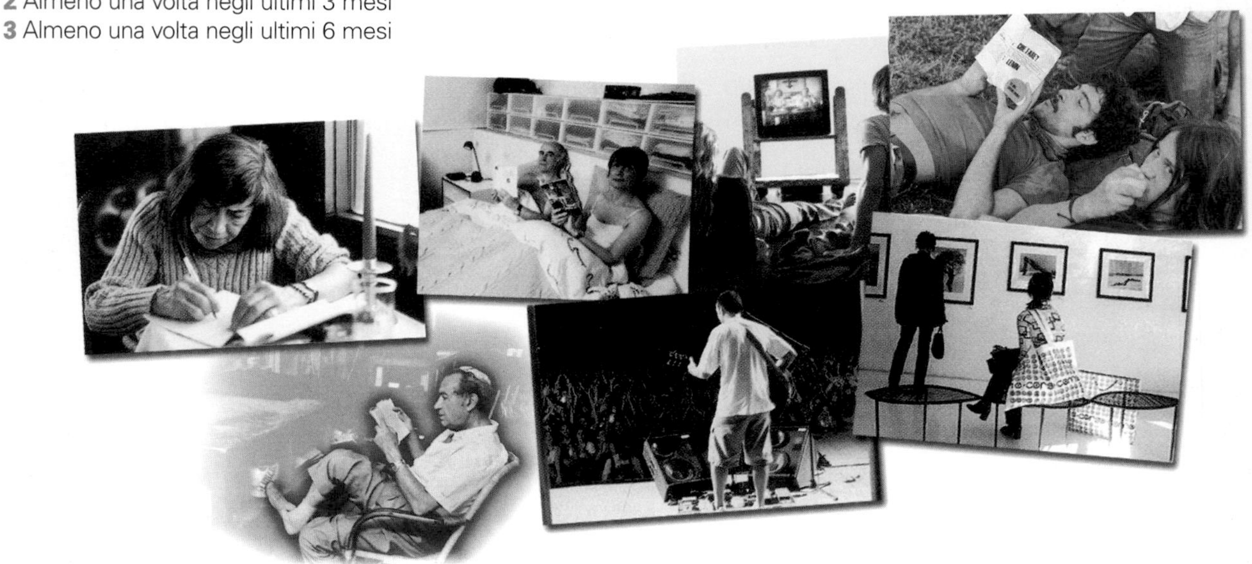

3 Osserva con i tuoi compagni la tabella che segue e discutete insieme dei motivi per cui gli italiani non leggono. Secondo voi sono gli stessi anche nei vostri paesi? Cosa occorre fare da parte delle istituzioni, della scuola e anche delle persone per promuovere la lettura?

motivi della non lettura per profilo socialdemografico

(Composizione percentuale)

Titolo di studio	Costo elevato	Difficoltà acquisto	Stanchezza	Ambiente domestico sfavorevole	Poco tempo libero	Complessità di linguaggio	Disinteresse	Altro
Laurea	2,0	0,4	7,1	0,3	67,3	-	8,6	11,2
Diploma: - Universitario	0,9	2,2	9,3	1,1	53,8	-	16,9	19,7
- Superiore (4 - 5 anni)	3,1	1,1	4,1	0,9	61,2	-	18,1	11,6
- Superiore (2 - 3 anni)	2,5	0,7	4,6	0,7	53,7	0,4	28,3	9,7
Media inferiore	3,1	0,8	3,6	0,4	45,7	1,2	34,1	9,5
Elementare	3,0	0,7	15,0	0,1	32,6	3,2	37,8	8,9
Senza titolo di studio	3,3	0,5	31,2		10,7	7,6	40,0	10,8
Totale	**3,0**	**0,7**	**12,2**	**0,5**	**37,9**	**2,7**	**34,2**	**9,7**

[tratto da, *Il libro dei fatti 1999*, AdnKronos libri]

grammatica

Il futuro nel passato

Osserva l'esempio. Ti è chiaro il concetto di *futuro nel passato*?

1997 — **2001** — **Ora**

- *Giovanni mi* ***disse*** *che dopo la nascita di sua figlia* ***avrebbe smesso*** *di giocare a calcio.*

Il **futuro nel passato** si usa per esprimere un'azione futura rispetto a una passata. In italiano si rende attraverso il **condizionale composto**.

1 Metti il verbo al condizionale semplice o composto.

1 Tommaso pensò che ....avrebbe finito............ (*finire*) di preparare l'esame dopo qualche giorno.
2 Quando ti ho incontrata, sapevo che quel giorno .... (*conoscere*) una persona speciale.
3 All'inizio dell'anno il direttore dell'impresa pensava che il fatturato .... (*essere*) più alto.
4 Quando ho comprato la macchina che ho ancora adesso, pensavo che .... (*consumare*) meno benzina.
5 Ti .... (*preparare*) un buon piatto di spaghetti allo scoglio, ma non sapevo se ti piace il pesce.
6 Questa mattina Mario pensava che .... (*avere*) una giornata tranquilla e invece...
7 Patricia disse a Scott: "Sei il solito monello: mi avevi promesso che non lo .... (*fare*) più!"
8 Un mese fa avevo detto a mio cognato, che è juventino, che la Juventus .... (*perdere*) contro il Perugia nella partita di domenica scorsa. E c'ho azzeccato!

Un modo più popolare di dire indovinare.

2 Scrivi delle frasi che descrivano ciò che da piccolo pensavi che avresti fatto nel futuro.

1 Quando ero piccolo pensavo che da adulto ....
....
2 Quando ero piccolo pensavo che dopo la scuola elementare ....
....
3 Quando ero piccolo pensavo che da vecchio..................... ....
....
4 Quando ero piccolo pensavo che dopo la scuola superiore ....
....

Il trapassato remoto

Ti ricordi il passato remoto? Ora ti presentiamo il *trapassato remoto*.

Il passato remoto: Rete! 3 Unità 3.

Il **trapassato remoto** si forma con il *passato remoto* degli ausiliari *essere* o *avere più il participio passato* del verbo ed esprime un'azione accaduta *immediatamente prima* di un'altra espressa con un passato remoto.

fui fosti fu	arrivato/a	ebbi avesti ebbe	letto
fummo foste furono	arrivati/e	avemmo aveste ebbero	letto

ore 23.10 ore 23.11 Ora

- *(Non) **appena** l'attore **ebbe concluso** la recita, il pubblico **iniziò** a fischiare.*

Si usa solo in frasi secondarie temporali, segue espressioni quali **dopo che**, **quando**, (**non**) **appena**.

- ***Dopo che** Suly **ebbe partorito** si strinse sua figlia al petto.*

Il trapassato prossimo si usa poco.

3 Completa con il verbo al passato remoto o al trapassato remoto.

1 Dopo che l'arbitro ....ebbe fischiato......... (*fischiare*) la fine della partita, i tifosi ......portarono...... (*portare*) in trionfo i giocatori.

2 Dopo che .... (*ricevere*) le chiavi della nostra nuova casa, ... (*fare*) trasloco.

3 Non appena il telegiornale .... (*dare*) la notizia dell'aumento dell'inflazione, la borsa .... (*perdere*) il 2% del valore.

4 Subito dopo che Nicola .... (*cominciato*) il nuovo lavoro, il suo datore di lavoro .... (*andare*) in pensione e gli .... (*vendere*) la ditta.

5 Dopo che .... (*superare*) l'esame per la patente, Elisa .... (*invitare*) le amiche a festeggiare.

6 Dopo che il corriere .... (*consegnare*) il telegramma, ... (*correre*) a farlo leggere a mia moglie.

4 Completa le frasi.

1 Silvia tirò un sospiro di sollievo, non appena ....ebbe terminato di impaginare questo libro.........

2 Comprai l'ultimo modello di cellulare non appena ....

3 Dopo che .... mi accorsi che c'erano stati i ladri.

4 Non appena ...., Paola si mise a piangere.

5 Dopo che mia madre ebbe firmato per la vendita della sua casa ....

6 Mi svegliai dopo che ....

Le preposizioni sono un ambito della lingua spesso molto complesso. Ti proponiamo un esercizio di ripasso, convinti che una lingua si può imparare, ma anche disimparare se non si pratica a sufficienza.

5 Completa le frasi con le preposizioni, dove necessario.

1 Domani parto ....per........ Lisbona.

2 .... il 15 novembre vado .... Venezia .... un convegno.

3 Alcuni anni fa Giovanna è andata .... vivere .... Filippo e .... allora sembra più felice.

4 .... causa .... un forte temporale .... zona .... aeroporto, l'aereo .... Roma ha dovuto ritardare il decollo.

5 Hans è nato .... Germania, vicino .... Berlino, ma ora vive .... Stati Uniti .... Chicago.

6 Il treno parte stasera .... nove.

7 Questo pomeriggio devo andare .... dottore .... prendere una ricetta .... alcune medicine che mi occorrono.

8 Lavoro .... questo istituto .... 1994.

9 Due anni fa Carla si è laureata .... medicina e ora sta facendo una specializzazione .... ginecologia.

10 Stanotte sono rimasto sveglio .... 2 .... 4. Non riuscivo .... addormentarmi.

11 Pronto, Paolo? Sbrigati .... arrivare. Ti stiamo aspettando tutti .... impazienza!

12 Maria? È quella bella ragazza che si veste sempre .... nero.

1 **Nella lingua parlata si usano spesso i verbi *dire*, *dare* e *fare* al posto di altri verbi sinonimi più specifici. Trova nel diagramma i sinonimi dei verbi contenuti nella tabella e riscrivi a fianco la frase. Osserva l'esempio.**

V	I	N	R	I	U	D	I	P	I	N	G	E	R	E
P	O	H	A	A	S	P	R	E	A	V	I	S	E	U
M	N	B	**C**	**O**	**M**	**M**	**E**	**T**	**T**	**E**	**R**	**E**	T	R
A	S	A	C	C	D	E	G	R	E	M	A	P	O	I
F	A	S	O	L	L	O	E	V	E	R	R	I	R	E
I	B	A	N	V	D	E	R	T	S	I	E	A	D	E
S	C	A	T	T	A	R	E	A	P	N	T	A	R	A
S	I	L	A	C	D	S	A	R	R	A	L	O	E	S
A	O	I	R	E	R	C	U	C	I	N	A	R	E	A
R	I	U	E	A	S	C	F	D	M	A	T	O	R	E
E	N	N	U	L	I	D	E	S	E	A	T	U	R	A
P	I	O	S	P	I	E	G	A	R	E	M	I	U	A
M	I	U	T	R	E	A	S	D	E	E	S	Z	A	M
A	L	I	R	T	E	S	E	R	L	O	I	U	S	E
P	A	R	E	T	U	N	A	S	D	E	T	O	R	E

1 fare un errore ...commettere un errore...
2 dire una storia ....
3 dire il motivo ....
4 dire un'opinione ....
5 dare un appuntamento ....
6 fare un risotto ....
7 fare una foto ....
8 fare un quadro ....
9 fare un film ....

..... / 8

2 **All'interno di questo insieme di aggettivi individua le coppie di significato contrario e scrivile nella tabella. Attento: un aggettivo non c'entra. Osserva l'esempio.**

aggettivo	contrario
pulito	sporco

pulito attento separato arrabbiato buio autonomo allegro calmo distratto dipendente luminoso sporco divertente leggero noioso pessimo ottimo tranquillo rumoroso pesante triste unito largo

..... / 10

3 **Completa le frasi con le preposizioni semplici.**

1 Marco ha un orecchio incredibile, è proprio portato .... la musica.
2 In Italia si trova sempre un buon vino .... pasto.
3 Alla cena di ieri ho invitato anche i miei vicini .... casa.
4 Mi sono comprato una bellissima camicia .... righe.
5 Aspettami un attimo, scendo subito, faccio .... due minuti.
6 Carlo ha fatto pace con Laura. Ieri si sono trovati faccia .... faccia e si sono spiegati.
7 Non trovo più le mie scarpe .... basket.
8 Se vuole telefonarmi le lascio un mio biglietto .... visita.
9 Ciao Laura, scusa se non mi fermo, ma sono .... corsa.
10 Franco è rimasto due giorni chiuso .... casa .... la febbre.
11 Scusa, non volevo offenderti, te l'ho detto .... scherzo.

..... / 12

4 Completa i mini-dialoghi con i verbi del riquadro al condizionale passato.

1 - Hai visto quanta gente c'era ieri alla festa di Francesca? C'era perfino Filippo,
- Sì, incredibile, non avrei mai pensato che ci .... anche lui.

2 - Ciao Laura come hai passato le vacanze?
- Non molto bene. Francesco mi aveva promesso che mi .... a Londra, e invece ci siamo lasciati prima.

3 - Ciao Diana, sai che sono riuscita a passare l'esame d'italiano?
- Hai visto? Te l'avevo detto che non .... problemi.

4 - Allora Giulia, come ti trovi nella tua nuova casa?
- Tutto sommato bene. Però quando l'ho presa non immaginavo che .... così rumorosa.

avere, essere, venire, invitare

..... / 4

5 Nel seguente dialogo si nascondono dieci errori. Trovali e scrivi a lato la forma corretta.

Giulio: Ciao Laura, cosa stai leggendo?
Laura: Sto per terminando un romanzo di Sandro Veronesi. Mi piacerebbe molto come scrive, ho letto quasi tutti i suoi romanzi.
Giulio: Io invece non riesco di leggere. Mi piaccia molto, ma non ce la faccio. Un po' perché non ho tempo e un po' perché sono pigro. Tante volte ho cominciato un libro, ma poi lo abbandono o faccio una fatica tremenda a finirlo.
Laura: Io no. Quando ho un momento di tempo leggevo sempre, in treno, aspettando l'autobus, o a letto prima di dormire.
Giulio: A me invece viene un sonno incredibile. Fin dai tempi della scuola sarei fatto qualsiasi cosa pur di non leggere. Preferivo andare per giocare a calcio, per me leggere è sempre stato pesante.
Laura: Io invece ho sempre pensato che la letteratura era stata importante per me nella vita, se non avessi un buon libro da leggere mi mancava qualcosa.
Giulio: Ti ricordi anche quando studiavamo all'università? Leggevo giusto i libri per preparare gli esami e devo dire che non mi ricordo molto.
Laura: Se tu avevi letto per il tuo piacere, ora ti ricorderesti molto di più. Quando si legge solo per sapere è facile dimenticare, ma se si legge per piacere ti ricordi molto di più perché ti appassiona...

..... / 10

6 E tu a chi assomigli di più? A Laura o a Giulio? Scrivi brevemente su un foglio che rapporto hai con la lettura e cosa ti piace leggere.

..... / 10

NOME:
DATA:
CLASSE:

totale ..... / 54

unità 8 le opinioni politiche

1 Ascolta il brano tratto da un notiziario e rispondi alle domande.

1 Che cosa succede oggi a treni e traghetti?
2 Cosa ci sarà stasera?
3 Cosa potrebbe succedere oggi ai passaggi a livello?
4 Che misura si sta prendendo contro lo smog?

2 Destra e sinistra? Quali valori associ a questi due concetti? E tu come ti consideri? Di destra o di sinistra? O di centro? Oppure sei tra quelli che pensano che la politica non li riguardi? A coppie rispondete alle domande e motivate le vostre risposte.

3 Ora sempre insieme a un compagno fa' il test. Usa questa scala per la tua valutazione:

A *sono d'accordo*
B *sono abbastanza d'accordo*
C *non ho opinioni particolari*
D *non sono molto d'accordo*
E *sono completamente contrario*

		Io		Il mio compagno	
1	La censura a volte non è sbagliata. È giusto reprimere le opinioni di chi è contro il sistema.				
2	Bisogna ridurre l'assistenza dello stato per aumentare il grado di iniziativa delle persone.				
3	È sufficiente aver più libertà di scambio tra i vari paesi, per migliorare le condizioni di vita di tutti.				
4	Tutti, uomini e donne, devono essere in grado di difendere il proprio paese con le armi, ma gli eserciti composti da professionisti devono essere aboliti.				
5	La pena di morte è utile per non far commettere reati gravi.				
6	Prima del matrimonio è sbagliato che le persone vivano insieme.				
7	Bisogna ridurre le tasse per poter migliorare l'economia anche se questo significa tagliare le pensioni, l'istruzione, l'assistenza medica, ecc.				
8	Bisogna utilizzare l'esercito per non fare entrare gli immigrati clandestini.				
9	Nessuno dovrebbe avere la possibilità di ottenere una migliore istruzione o una migliore assistenza sanitaria solo perché hanno i soldi per pagarle.				
10	Se esistono i ricchi e i poveri è perché gli esseri umani sono naturalmente diversi tra loro.				
11	La difesa dell'ambiente è più importante del miglioramento dell'economia.				
12	Si deve cercare di abolire la caccia e la pesca.				
13	I sindacati sono una forma di pressione ingiusta sulle imprese.				
14	La famiglia, i genitori devono sempre avere il diritto di decidere per i propri bambini.				
15	L'omosessualità è un diritto.				
16	In famiglia uomini e donne devono collaborare e dividere i lavori di casa.				
17	Tutti dovrebbero pagare le tasse a seconda del loro livello di reddito. Chi è più ricco deve pagare di più.				
18	Gli stati ricchi devono aiutare quelli poveri con efficaci politiche e investimenti per lo sviluppo.				
19	Si dovrebbero legalizzare le droghe leggere.				
20	Qualsiasi forma di discriminazione va combattuta e perseguita per legge.				
21	Nel mondo ci saranno sempre ingiustizie perché l'uomo è cattivo.				
22	Ognuno ha il diritto di professare la propria religione ovunque si trovi.				
23	Lo sciopero è un disturbo per la libertà di chi non desidera scioperare, perciò dev'essere limitato.				
24	Lo stato dovrebbe fornire a tutti la possibilità di ricevere l'istruzione necessaria sulle nuove tecnologie e prestiti per comprarsi un computer.				
	Totale				

4 Adesso va' a pagina VII e controlla il tuo punteggio e il tuo profilo. Sei d'accordo?

5 Il testo che segue è tratto da *Sostiene Pereira* di Antonio Tabucchi. A cosa ti fa pensare il titolo del brano? Parlane con un compagno.

6 Ora leggi il brano e rispondi alle domande.

1 Chi è Pereira?
2 Dov'è ambientata la storia?
3 Chi sono gli altri protagonisti del brano?
4 Perché sono da Pereira?

Lezione di patriottismo

Sostiene Pereira che erano tre uomini vestiti con abiti civili e che erano armati di pistole. Il primo che entrò era un magrolino basso con dei baffetti e un pizzo castano. Polizia politica, disse il magrolino basso con l'aria di quello che comandava, dobbiamo perquisire l'appartamento, cerchiamo una persona. Mi faccia vedere il suo tesserino di riconoscimento, si oppose Pereira. Il magrolino basso si rivolse ai suoi due compagni, due tangheri vestiti di scuro, e disse: ehi, ragazzi, avete sentito, che ve ne pare? Uno dei due puntò la pistola contro la bocca di Pereira e sussurrò: ti basta questa come riconoscimento, grassone? Via ragazzi, disse il magrolino basso, non mi trattate così il dottor Pereira, lui è un bravo giornalista, scrive su un giornale di tutto rispetto, magari un po' troppo cattolico, non lo nego, ma allineato sulle buone posizioni. E poi continuò: senta dottor Pereira, non ci faccia perdere tempo, non siamo venuti per fare quattro chiacchiere, e perdere tempo non è il nostro forte, e poi sappiamo che lei non c'entra, lei è una brava persona, semplicemente non ha capito con chi aveva a che fare, lei ha dato fiducia a un tipo sospetto, ma io non voglio metterla nei guai, ci lasci solo fare il nostro lavoro. Io dirigo la pagina culturale del "Lisboa", disse Pereira, voglio parlare con qualcuno, voglio telefonare al mio direttore, lui lo sa che siete a casa mia? Via, dottor Pereira, rispose il magrolino basso con voce melliflua, le pare che se facciamo un'azione di polizia avvisiamo prima il suo direttore, ma che discorsi fa? Ma voi non siete la polizia, si ostinò Pereira, non vi siete qualificati, siete in borghese, non avete nessun permesso per entrare in casa mia. Il magrolino basso si rivolse di nuovo ai due tangheri con un sorrisetto e disse: il padrone di casa è ostinato, ragazzi, chissà cosa bisogna fare per convincerlo. L'uomo che teneva la pistola puntata contro Pereira gli dette un poderoso manrovescio e Pereira barcollò. Dài, Fonseca, non fare così, disse il magrolino basso, non devi maltrattare il dottor Pereira, altrimenti me lo spaventi troppo, lui è un uomo fragile, nonostante la mole, si interessa di cultura, è un intellettuale, il dottor Pereira deve essere convinto con le buone, altrimenti si piscia sotto. Il tanghero che si chiamava Fonseca mollò un altro manrovescio a Pereira e Pereira barcollò di nuovo, sostiene. Fonseca, disse sorridendo il magrolino basso, tu sei troppo manesco, io devo tenerti a bada altrimenti mi rovini il lavoro. Poi si rivolse a Pereira e gli disse: dottor Pereira, come le ho detto non ce l'abbiamo con lei, siamo solo venuti a dare una piccola lezione a un giovanotto che sta in casa sua, una persona che ha bisogno di una piccola lezione perché non conosce quali sono i valori della patria, li ha smarriti, poveretto, e noi siamo venuti per farglieli ritrovare. Pereira si strofinò la guancia e mormorò: qui non c'è nessuno. Il magrolino basso si dette un'occhiata intorno e disse: senta, dottor Pereira, ci faciliti il compito, al giovanotto ospite suo noi dobbiamo solo chiedere delle cose, gli faremo solo un piccolo interrogatorio e faremo in modo che recuperi i valori patriottici, non vogliamo fare di più, siamo venuti per questo. E allora mi faccia telefonare alla polizia, insistette Pereira, che vengano loro e che lo portino in questura, è lì che si fanno gli interrogatori, non in un appartamento. Via, dottor Pereira, disse il magrolino basso con il suo sorrisetto, lei non è affatto comprensivo, il suo appartamento è ideale per un interrogatorio privato come il nostro, la sua portiera non c'è, i suoi vicini sono andati a Oporto, la serata è tranquilla e questo palazzo è una delizia, è più discreto di un ufficio di

144

[Da Antonio Tabucchi, *Sostiene Pereira*, Feltrinelli, Milano, 1993 - Capitolo XXIV]

Dal film *Sostiene Pereira* con Marcello Mastroianni, **regia** di Roberto Faenza e **sceneggiatura** di Antonio Tabucchi.

La storia

Lisbona, estate 1938. Il dottor Pereira, oscuro cronista del *Lisboa*, si occupa della pagina letteraria del giornale con cauto entusiasmo. Per lui, vedovo e in età avanzata, il mondo circostante ha un aspetto alquanto sfocato.
Mentre in Portogallo avanza la dittatura di Salazar e nel resto d'Europa si profila la minaccia della guerra, il letterato Pereira sembra chiuso per sempre nella sua torre d'avorio. Sarà, però, decisivo un incontro con due giovani rivoluzionari, Monteiro e Marta, una coppia che lo metterà di fronte alla drammatica realtà del momento storico.
Pereira scopre di avere il coraggio di un'ultima ribellione che gli apre una nuova vita.

polizia. Poi fece un cenno al tanghero che aveva chiamato Fonseca e costui spinse Pereira fino in sala da pranzo. Gli uomini guardarono intorno ma non videro nessuno, solo la tavola apparecchiata con i resti del cibo. Una cenetta intima, dottor Pereira, disse il magrolino basso, vedo che avete fatto una cenetta intima con le candele e tutto, ma che romantico. Pereira non rispose. Senta, dottor Pereira, disse il magrolino basso con l'aria melliflua, lei è vedovo e donne non ne frequenta, come vede so tutto di lei, non è che le piacciono i ragazzi giovani, per caso? Pereira si passò di nuovo la mano sulla guancia e disse: lei è una persona infame, e tutto questo è infame. Via, dottor Pereira, continuò il magrolino basso, ma l'uomo è uomo, lo sa bene anche lei, e se un uomo trova un bel giovanotto biondo con un bel culetto la cosa è comprensibile. E poi, con tono duro e deciso, riprese: dobbiamo metterle a soqquadro la casa o preferisce venire a patti? È di là, rispose Pereira, nello studio o in camera da letto. [...] Pereira sostiene che a quel punto udì un altro grido soffocato e che si lanciò contro la porta dello studio. Ma il magrolino basso lo fronteggiò e gli dette una spinta. La spinta fu più forte della mole di Pereira, e Pereira indietreggiò. Senta, dottor Pereira, disse il magrolino basso, non mi costringa a usare la pistola, avrei una bella voglia di ficcarle una pallottola in gola o magari nel cuore, che è il suo punto debole, ma non lo faccio perché qui non vogliamo morti, siamo venuti solo per dare una lezione di patriottismo, e anche a lei un po' di patriottismo farebbe bene, visto che il suo giornale non pubblica altro che scrittori francesi. Pereira si mise di nuovo a sedere, sostiene, e disse: gli scrittori francesi sono gli unici che hanno del coraggio in un momento come questo. Lasci che le dica che gli scrittori francesi sono delle merde, disse il magrolino basso, andrebbero tutti messi al muro e dopo morti pisciarci sopra. Lei è una persona volgare, disse Pereira. Volgare ma patriottica, rispose l'uomo, non sono come lei, dottor Pereira, che cerca complicità negli scrittori francesi. In quel momento i due tangheri aprirono la porta. Sembravano nervosi e avevano un'aria affannata. Il giovanotto non voleva parlare, dissero, gli abbiamo dato una lezione, abbiamo usato le maniere forti, forse è meglio filarcela. Avete fatto dei disastri?, chiese il magrolino basso. Non lo so, rispose quello che si chiamava Fonseca, credo che sia meglio andar via. E si precipitò alla porta seguito dal suo compagno. Senta, dottor Pereira, disse il magrolino basso, lei non ci ha mai visti in casa sua, non faccia il furbo, lasci perdere le sue amicizie, tenga presente che questa è stata una visita di cortesia, perché la prossima volta potremmo venire per lei. Pereira chiuse la porta a chiave e li sentì discendere le scale, sostiene. Poi si precipitò in camera da letto e trovò Monteiro Rossi riverso sul tappeto. Pereira gli dette uno schiaffetto e disse: Monteiro Rossi, si faccia forza, è passato tutto. Ma Monteiro Rossi non dette alcun segno di vita. Allora Pereira andò in bagno, inzuppò un asciugamano e glielo passò sul volto. Monteiro Rossi, ripeté, è tutto finito, sono andati via, si svegli. Solo in quel momento si accorse che l'asciugamano era tutto bagnato di sangue e vide che i capelli di Monteiro Rossi erano pieni di sangue. Monteiro Rossi aveva gli occhi spalancati e guardava il soffitto. Pereira gli dette un altro schiaffetto, ma Monteiro Rossi non si mosse. Allora Pereira gli prese il polso, ma nelle vene di Monteiro Rossi la vita non scorreva più. Gli chiuse quegli occhi chiari spalancati e gli coprì il volto con l'asciugamano. Poi gli distese le gambe, per non lasciarlo così rattrappito, gli distese le gambe come devono essere distese le gambe di un morto. E pensò che doveva fare presto, molto presto, ormai non c'era più tanto tempo, sostiene Pereira.

145

7 Scrivi un commento di questo brano sul tuo quaderno.

lessico

1 Osserva le parole seguenti; ne conosci la forma intera?

Auto ....

Foto ....

2 Conosci altri termini simili?

1 ....
2 ....
3 ....
4 ....
5 ....
6 ....
7 ....
8 ....

3 Le parole composte. Spesso queste parole sono composte da parti autonome che unite fanno cambiare il significato dei termini originali. Osserva l'esempio. Conosci altre parole?

Pescecane
Il pescecane
è uno squalo

Posacenere
Il posacenere è un oggetto
dove si posa la cenere
delle sigarette, dei sigari, ecc.

1 ....
2 ....
3 ....
4 ....
5 ....
6 ....
7 ....
8 ....

4 Da quali parole derivano questi composti? Cerca sul dizionario il significato delle parole singole e dei composti.

1 Autocarro	auto	carro
2 Cassaforte	....	....
3 Asciugamano	....	....
4 Doposcuola	....	....
5 Portafoglio	....	....
6 Passaverdura	....	....
7 Tritacarne	....	....
8 Arcobaleno	....	....
9 Portalettere	....	....
10 Cacciabombardiere	....	....

5 Prova a inventare due composti con ognuna di queste parole. Poi guarda sul dizionario se esistono.

1 Apri ....
2 Aspira ....
3 Guarda ....
4 Lava ....
5 Astro ....
6 Alto ....

6 A volte queste parole sono composte da altre che non hanno un significato autonomo, dette *prefissoidi*. Eccone alcuni tra i più frequenti. Ne conosci il significato?

Mono .... Pluri ....
Multi .... Poli ....
Mega .... Macro ....
Micro .... Termo ....

7 Scrivi alcune parole che inizino con questi prefissoidi. Se necessario cercale sul dizionario.

Mono ....
Pluri ....
Multi ....
Poli ....
Mega ....
Macro ....
Micro ....
Termo ....

8 Oltre ai prefissoidi si usano dei *suffissoidi*, che si mettono in fondo alla parola per creare i composti. Abbinali al loro significato.

1 logia
2 fobia
3 filo
4 grafia
5 crazia
6 patico
7 patia
8 cratico

a relativo al potere. Si usa per i nomi.
b relativo alla scrittura.
c indica sentimenti o malattie. Si usa per i nomi.
d significa studio scientifico.
e paura.
f indica sentimenti o malattie. Si usa per gli aggettivi.
g che ama.
h relativo al potere. Si usa per gli aggettivi.

9 Quali parole conosci che sono composte con questi *suffissoidi*?

1 logia ....
2 fobia ....
3 filo ....
4 grafia ....
5 crazia ....
6 patico ....
7 patia ....
8 cratico ....

grammatica

Forma implicita o esplicita

Osserva le frasi.

- ***1*** *Spero che stiate bene.*
- ***2*** *Spero di star meglio domani sera così potrò andare a ballare.*

- Quali sono i soggetti della prima frase? ....
- Qual è il soggetto della seconda frase? ....

Quando, come nel primo esempio, il soggetto della frase principale è diverso da quello della frase secondaria, in quest'ultima si usa la forma esplicita, cioè il verbo all'indicativo, congiuntivo, condizionale, introdotto da *che*.

Quando invece il soggetto delle due frasi è uguale, come nel secondo esempio, si usa la forma implicita cioè il verbo all'infinito, preceduto dalla preposizione *di*.

Ecco i verbi più comuni che si comportano in questo modo.

Affermare	Alcuni testimoni affermano di aver visto l'aereo prendere fuoco.
Ammettere	Sandra non ammette mai di avere torto.
Avere paura	Ho paura di fare un incidente in moto.
Avere voglia	Ho sempre voglia di dormire.
Credere	Gli italiani credono di essere i migliori amanti al mondo.
Decidere	A trent'anni decisi di tornare in Italia a vivere.
Dimenticare/si	Perché ti dimentichi sempre di spegnere la luce?
Dubitare	Dubito di potermi ricordare il tuo numero di telefono se non lo scrivo.
Evitare	Evita di fumare in nostra presenza, te ne prego!
Immaginare	Chiudi gli occhi! Dove immagini di essere?
Negare	Perché neghi di essere stata tu? Ti hanno riconosciuta.
Pensare	Penso di non conoscere bene nessuna lingua.
Ricordarsi	Spero di ricordarmi di mandare un telegramma a Pino quando nasce il suo bimbo.
Ritenere	Ritengo di essere un nuotatore abbastanza bravo, ma un pessimo tennista.
Sognare	Sogno di comprarmi una casa in riva al mare.
Sperare	Spero di mangiarmi presto un buon piatto di tagliatelle ai tartufi.
Supporre	Supponi di poter esprimere tre desideri. Cosa sceglieresti?
Temere	Temo di non poter arrivare in tempo a teatro. C'è lo sciopero della metropolitana oggi.
Tollerare	Non tollero di sentire i rumori dei miei vicini quando dormo.
Vergognarsi	Gli italiani dovrebbero vergognarsi di non conoscere le lingue straniere.

1 Ora, con gli stessi verbi, scrivi delle frasi utilizzando la forma esplicita.

Affermare	I giornali affermano oggi che il vertice dei paesi più industrializzati non ha offerto soluzioni innovative al problema dei cibi transgenici.
Ammettere	
Avere paura	
Avere voglia	
Credere	
Decidere	
Dimenticare/si	

Dubitare	
Evitare	
Immaginare	
Negare	
Pensare	
Ricordarsi	
Ritenere	
Sognare	
Sperare	
Supporre	
Temere	
Tollerare	
Vergognarsi	

Verbi con la forma implicita

Ci sono poi molti verbi che si costruiscono con la forma implicita. Sono seguiti da varie preposizioni.

Con la preposizione *di*

Avere bisogno	I Rossi hanno bisogno di trovare un nuovo appartamento.
Avere il diritto/dovere	Ogni italiano ha il dovere di rispettare le leggi.
Avere tempo	Silvia non ha tempo di fare la traduzione.
Finire	Ho finito di lavorare in tempo per prendere l'autobus.
Sforzarsi	Lui si sforza di essere simpatico, ma non ci riesce.
Smettere	Ho smesso di fumare.
Tentare	Ha tentato di battere il proprio record nei 100 metri.
Terminare	Terminiamo spesso di lavorare alle 8.

Alcuni verbi si costruiscono con la forma implicita più la preposizione *di* quando è espresso il complemento indiretto (complemento di termine).

- ***Vi*** *dico sempre di non uscire senza l'ombrello quando ci sono giornate come oggi!*
- *Ho chiesto* ***a Mario*** *di portarmi a vedere la sua nuova casa in costruzione.*

Chiedere	Gli ho chiesto di farmi un favore.
Dire	Ho detto alla donna di servizio di non cucinare più.
Impedire	Ti impedisco di entrare in casa mia.
Ordinare	Gli ho ordinato di finire il lavoro prima di sera.
Permettere	Il dottore non mi permette di bere alcolici.
Proibire	Mi hanno proibito di fumare.
Vietare	Mia moglie mi ha vietato di parlare con la mia ex.

Con la preposizione *a*

Abituarsi	Non è facile abituarsi a vivere in un paese diverso dal tuo.
Accompagnare	Vi accompagno a prendere le pizze. Aspettatemi!
Andare	Andiamo a giocare a pallavolo?
Annoiarsi	Mi annoio a guardare i programmi di varietà.
Arrivare	La ditta arriverà a chiudere il bilancio di quest'anno in pareggio.
Aiutare	Aiutami a pulire i pesci, per favore.
Cominciare	Domani Nicola comincia a lavorare nell'agenzia di viaggio.
Continuare	Tacete, se continuate a chiacchierare, per la prossima volta il prof. ci darà un sacco di compiti.

Convincere	Non riuscirai a convincermi a trasferirmi in Francia. Io sto bene in Ungheria.
Correre	Quando è successo l'incidente, sono corso a chiamare la polizia e l'ambulanza.
Divertirsi	I ragazzi italiani si divertono a mandare messaggi con il cellulare.
Entrare	Entri tu a chiedere se c'è posto per mangiare qualcosa?
Fare in tempo	Mi dispiace oggi non faccio in tempo a preparale il preventivo per la sua cucina nuova.
Imparare	Penso che non si impari facilmente a parlare arabo.
Iniziare	Mia moglie ha iniziato a cavalcare alcuni mesi fa.
Insegnare	Vi insegnerò a rispettare gli anziani! Se vi prendo...
Invitare	Se ti invito a giocare a calcio, ci vieni?
Mandare	Ho mandato la donna di servizio a prendermi le sigarette un'ora fa e non è ancora tornata.
Mettersi	Dovresti metterti a fare gli esercizi con più attenzione.
Portare	Se vuoi ti porto a fare un giro in barca questa domenica, cosa ne dici?
Prepararsi	Stefano si sta preparando a fare la sua ultima gara di motocross. Ormai è troppo vecchio.
Provare	Abbiamo provato ad aprire questa bottiglia, ma non ci siamo riusciti. Provaci tu, per favore.
Restare	Resti a dormire da me o devi tornare a casa da tuo marito?
Rinunciare	Sonia dovrebbe rinunciare a bere alcool se vuole guarire.
Riuscire	Sei riuscito a comprarmi il giornale o devo uscire io?
Stare	Mi stai ad ascoltare? O continui a pensare agli affari tuoi?
Tornare	Torno a ripeterle che non siamo contenti dei vostri prodotti.
Venire	Vengo a prenderti stasera con la mia nuova macchina blu.

2 Scrivi delle frasi con i verbi dell'ultima tabella.

1 ....
2 ....
3 ....
4 ....
5 ....
6 ....
7 ....
8 ....
9 ....
10 ....

3 Completa le frasi con un verbo. Scegli dal riquadro.

1 I bambini .... ricevere molto affetto dai genitori.
2 Ti .... parlarmi così!
3 .... che Leonardo sia stato tra i più grandi cervelli della storia dell'umanità.
4 Giovanni .... poter vincere la partita di domenica.
5 .... imparare alcune parole indispensabili se volete riuscire a passare il test di domani.
6 Sta per nascere il mio primo figlio, dovrò .... dormire poco di notte.
7 Stamattina c'era il sole e .... andare al lavoro in bici.
8 Mi .... darti un bacio?
9 Se .... stare ad ascoltarmi, ditemelo.
10 Non so se .... finire il progetto prima di sera.

permettere, credere, aver bisogno, decidere, sforzarsi, fare in tempo, abituarsi, ritenere, proibire, annoiarsi

Il comparativo di uguaglianza

Osserva le tre frasi. Quale contiene un comparativo di uguaglianza? 1, 2 o 3?

- ***1*** *Questa macchina è più veloce della tua.*
- ***2*** *L'ultimo romanzo di Umberto Eco è meno interessante de* Il nome della rosa.
- ***3*** *Oggi il tempo è brutto come ieri.*

Ci sono diversi modi di formare il **comparativo di uguaglianza**:

per paragoni tra due *aggettivi* si usa (**tanto**) + **agg**., **quanto** + **agg**.

- *Le città italiane sono spesso (**tanto**) belle **quanto** caotiche.*

I comparativi: vedi Rete! 2 Unità 9 e Rete! 3 Unità 4.

per paragoni tra *sostantivi*, *pronomi* e *verbi all'infinito* (**tanto**)... **quanto** oppure (**così**)... **come**.

- *Secondo me i piatti a base di pasta sono (**tanto**) buoni **quanto** quelli a base di carne.*
- *Martino è (**tanto**) simpatico **quanto** te, ma tu sei meno stressante.*
- *Ascoltare la musica di Vivaldi è (**così**) rilassante **come** farsi una bella doccia calda.*

Nota che *tanto* e *così* si possono spesso eliminare.

4 Riscrivi le frasi con un comparativo d'uguaglianza.

1 Leggere un buon libro non è meno divertente che vedere un bel film.
Leggere un buon libro è (tanto) divertente quanto vedere un bel film.

2 Fabio non è più alto di Marcella.
....

3 La Francia non è più popolata dell'Italia.
....

4 Il tuo gattino non è più grande del mio.
....

5 Le vacanze in montagna non sono più care di quelle al mare.
....

6 Per un francese il portoghese non è più difficile dell'italiano.
....

civiltà La satira politica

1 Lavora con un compagno. Che cos'è la satira? Scrivete una breve definizione, poi confrontatela con quella dei vostri compagni.

2 Osserva la vignetta che segue. Il disegnatore satirico italiano Giorgio Forattini l'ha messa nella pagina iniziale del suo sito Internet: *www.forattini.it*. Cosa ti dice questo disegno sulla satira? Discutine con i compagni.

3 La satira politica nell'Italia del 2000.

Secondo il detto latino, ridendo castigat mores, attraverso la comicità, la risata, si correggono i costumi, le consuetudini di un popolo. Anche se in teoria tutti ci possiamo trovare d'accordo con questa affermazione non è però sempre facile ridere di se stessi. I politici italiani non sempre sanno farlo e a volte anche le persone comuni non accettano di essere messe in ridicolo, cosa che spesso la satira fa riguardo alla nostra società. La vera satira è spesso irriverente e non si ferma davanti a nessuno, che si tratti del Papa, del capo del governo o del presidente della Repubblica. Spesso i disegnatori satirici si servono di riferimenti alle abitudini più basse e private degli esseri umani come le pratiche sessuali o le attività fisiologiche. In un'epoca come la nostra in cui la "correttezza politica" sta rendendo quasi impossibile ogni commento satirico e ironico riguardo ad aspetti e comportamenti degli esseri umani, siano essi persone comuni o personalità, la satira rischia di soffocare. Quindi, nel proporvi le vignette che seguono, speriamo di non urtare la suscettibilità di nessuno in quanto crediamo che ognuno di noi abbia la facoltà di giudicare in modo autonomo ciò che gli viene proposto.

4 Con un compagno osserva le vignette che seguono e per ognuna scrivete un breve giudizio. Quale preferite e perché?

[Altan - www.espressonline.kataweb.it]

[Forattini - www.forattini.it]

[Forattini - www.forattini.it]

Vignetta disegnata dopo la vittoria del centrodestra alle elezioni politiche del 2001.

Il personaggio della vignetta è Massimo D'Alema, al tempo Primo Ministro italiano, nell'atto di cancellare alcuni nomi da una lista. Nel 1999 negli archivi dei servizi segreti dell'ex-Uninione Sovietica viene rinvenuto il famoso "documento Mitrokin" in cui l'agente segreto avrebbe raccolto i nomi di importanti esponenti politici italiani (tra cui alcuni appartenenti all'ex-Partito Comunista Italiano, diventato poi Partito dei Democratici di Sinistra di cui D'Alema è uno dei più prestigiosi rappresentanti) che avrebbero svolto attività di spionaggio in favore dell'Unione Sovietica.

Francesco Totti. Uno dei calciatori italiani più popolari del periodo e tra i più pagati.

Primo classificato:
Giovanni Colucci, Leini (Torino)

Secondo classificato:
Francesco Davi, Borghetto (Palermo)

Terzo classificato:
Vincenzo Mallozzi, Castelforte (Latina)

Durante la campagna elettorale del maggio 2001 il candidato leader del centrodestra, Silvio Berlusconi, aveva tappezzato le città italiane di manifesti che recitavano "Meno tasse per tutti". Ben presto, su Internet , hanno cominciato a circolare manifesti "taroccati" (truccati, falsificati) che modificavano in modo satirico la promessa di Berlusconi agli italiani di diminuire le tasse.
Con intelligente lungimiranza Berlusconi ha fatto propri questi manifesti istituendo un vero e proprio concorso per il manifesto taroccato migliore. I tre manifesti che vedi sono i primi tre classificati.

Titti, famoso uccellino dei cartoni animati.

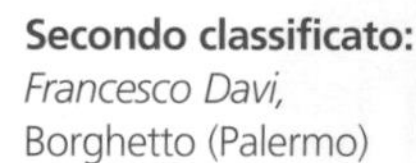

1 **Cerca nel diagramma i termini che servono a completare le parole composte contenute nel riquadro e scrivili accanto. Osserva l'esempio.**

A	**R**	**I**	**L**	**I**	**E**	**V**	**O**	I	S	D	L	T	R	A
L	A	S	I	T	G	F	S	L	O	B	D	V	H	E
B	D	A	D	V	I	L	O	N	F	R	E	S	A	B
U	I	T	T	R	A	D	L	M	B	C	S	R	T	I
N	O	L	G	D	T	E	M	F	O	G	L	I	O	A
I	N	U	F	R	A	S	D	O	L	O	E	N	U	N
A	S	S	P	F	N	I	C	R	L	O	T	D	E	O
P	I	T	S	D	F	B	V	T	L	U	T	A	D	T
M	U	I	L	L	S	O	L	E	F	D	O	I	N	A
L	O	A	S	D	E	B	N	S	D	R	E	I	L	E
R	L	O	B	O	L	L	O	I	O	R	E	F	D	F
M	I	C	E	D	S	D	F	L	A	V	O	R	O	A

1 basso rilievo..............................
2 banco..
3 gira..
4 franco..
5 capo..
6 piano...
7 auto..
8 porta...
9 copri...

..... / 8

2 **Completa la griglia formando delle parole composte come nell'esempio. Fa' attenzione: ci possono essere più possibilità.**

	- grafia	- sofia	- crazia	- patia	- logia	- fobia
demo	demografia		democrazia			
psico						
cardio						
filo						
xeno						
socio						
pato						
crono						
claustro						
geo						
buro						

..... / 14

3 **Trova la forma corretta e sottolineala.**

1 Laura, cosa fai stasera?
- a Penso vado al ristorante.
- b Penso di andare al cinema.
- c Penso che guardi un film alla TV.

2 Francesca, hai finito il lavoro?
- a No, spero che lo finisca domani.
- b No, spero a finirlo stasera.
- c No, spero di finirlo domani.

3 Gino, sei libero domenica?
- a Non credo. Luisa mi ha invitato di andare al mare con lei.
- b Sì, però avrei voglia di andare al mare.
- c Sì, ma penso a restare a casa a fare un po' di pulizie.

4 Marta, hai preso finalmente la patente?
- a No, non riesco di superare l'esame.
- b No, mi hanno detto di provare un'altra volta.
- c Ho paura che non riesca mai a superare l'esame.

..... / 4

4 **Forma delle parole composte e scrivile sotto la vignetta corrispondente come nell'esempio. Completa quindi il cruciverba con la seconda parte di ogni parola.**

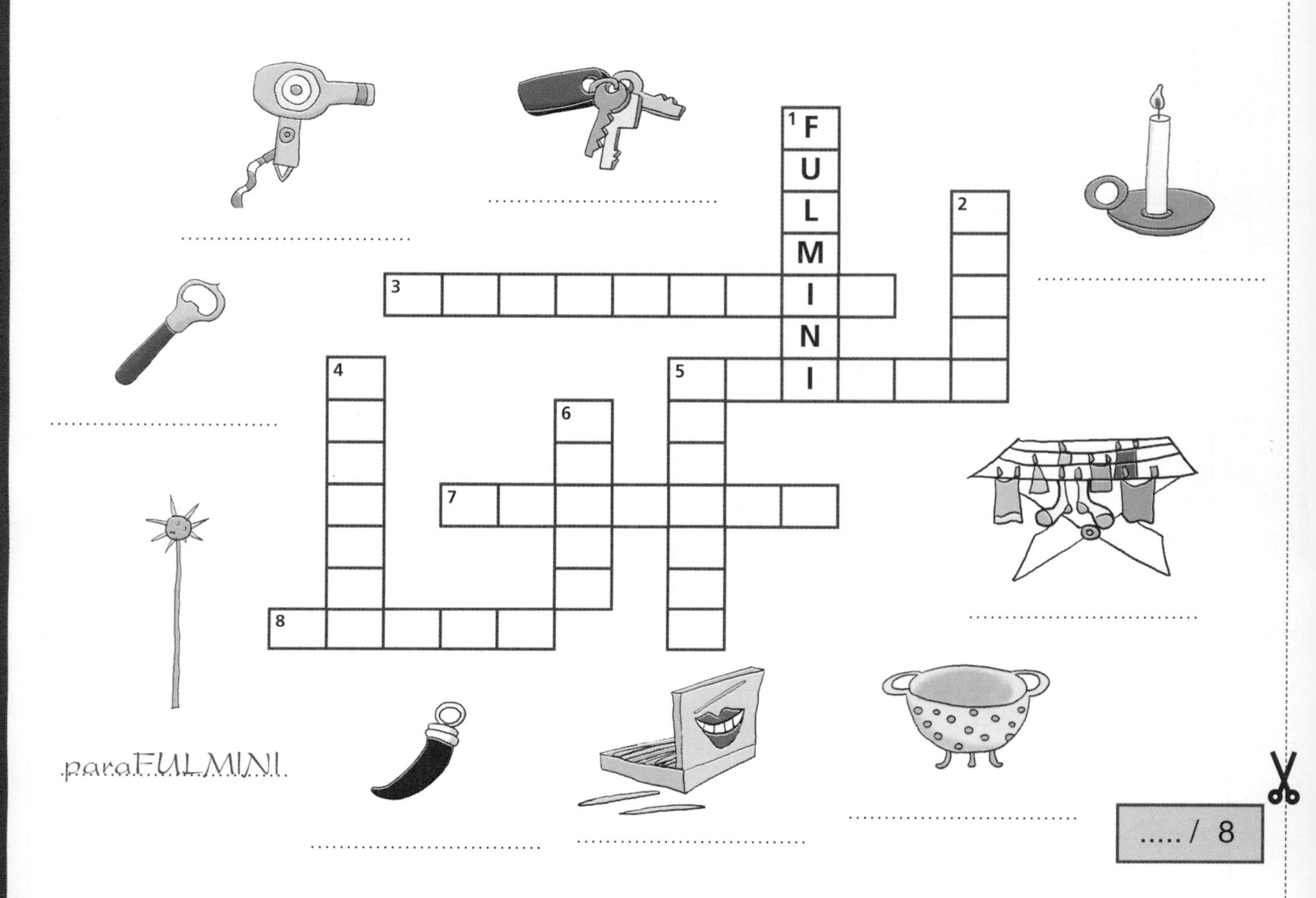

..... / 8

5 **Osserva le vignette e scrivi alcune frasi comparando le caratteristiche dei tre personaggi. Usa i comparativi di maggioranza, minoranza o uguaglianza. Osserva l'esempio.**

1 Paola è più giovane di Diana.
2 Marta è meno anziana di Paola.
3 ...
4 ...
5 ...
6 ...
7 ...
8 ...

Marta
Una ragazza giovane, magra, alta, carina, vestita molto sportiva, capelli lisci, lunghi, biondi.

Diana
Una signora piuttosto bassa, grassa, mezza età, riccia con i capelli bianchi, in tailleur. Tipica pensionata classe media.

Paola
Una donna sui trent'anni, robusta ma non grassa, molto elegante, tipo manager, visibilmente ricca, alta come Marta e con lo stesso taglio di capelli, ma neri.

NOME:
DATA:
CLASSE:

..... / 6

totale ..... / 40

1 Cosa sai della musica italiana? Parlane con un compagno.

2 Ascolta l'intervista e rispondi alle domande.

1 Cos'è cambiato nel panorama musicale italiano negli ultimi dieci anni?
2 Come si comporta il pubblico più maturo?
3 Com'è cambiato il mondo dei concerti?
4 Qual è il rapporto degli artisti con la politica oggi?

3 Ascolta nuovamente l'intervista. Quali differenze ci sono tra gli anni '70 e oggi?

4 Le canzoni di Fabrizio De André raccontano spesso delle storie. Leggi i testi e fanne un riassunto sul tuo quaderno.

*Bocca di rosa**

La chiamavano bocca di rosa
metteva l'amore, metteva l'amore,
la chiamavano bocca di rosa
metteva l'amore sopra ogni cosa.
Appena scese alla stazione
nel paesino di San Vicario
tutti si accorsero con uno sguardo
che non si trattava di un missionario.
C'è chi l'amore lo fa per noia
chi se lo sceglie per professione
bocca di rosa né l'uno né l'altro
lei lo faceva per passione.
Ma la passione spesso conduce
a soddisfare le proprie voglie
senza indagare se il concupito
ha il cuore libero oppure ha moglie.
E fu così che da un giorno all'altro
bocca di rosa si tirò addosso
l'ira funesta delle cagnette
a cui aveva sottratto l'osso.
Ma le comari di un paesino
non brillano certo in iniziativa
le contromisure fino a quel punto
si limitavano all'invettiva.
Si sa che la gente dà buoni consigli
sentendosi come Gesù nel tempio,
si sa che la gente dà buoni consigli
se non può più dare cattivo esempio.
Così una vecchia mai stata moglie
senza mai figli, senza più voglie,
si prese la briga e di certo il gusto
di dare a tutte il consiglio giusto.
E rivolgendosi alle cornute
le apostrofò con parole argute:
"il furto d'amore sarà punito-
disse- dall'ordine costituito".
E quelle andarono dal commissario
e dissero senza parafrasare:
"quella schifosa ha già troppi clienti
più di un consorzio alimentare".
E arrivarono quattro gendarmi
con i pennacchi con i pennacchi
e arrivarono quattro gendarmi
con i pennacchi e con le armi.
Il cuore tenero non è una dote
di cui sian colmi i carabinieri
ma quella volta a prendere il treno
l'accompagnarono malvolentieri.
Alla stazione c'erano tutti
dal commissario al sagrestano
alla stazione c'erano tutti
con gli occhi rossi e il cappello in mano,
a salutare chi per un poco
senza pretese, senza pretese,
a salutare chi per un poco
portò l'amore nel paese.
C'era un cartello giallo
con una scritta nera
diceva "Addio bocca di rosa
con te se ne parte la primavera".
Ma una notizia un po' originale
non ha bisogno di alcun giornale
come una freccia dall'arco scocca
vola veloce di bocca in bocca.
E alla stazione successiva
molta più gente di quando partiva
chi manda un bacio, chi getta un fiore
chi si prenota per due ore.
Persino il parroco che non disprezza
fra un miserere e un'estrema unzione
il bene effimero della bellezza
la vuole accanto in processione.
E con la Vergine in prima fila
e bocca di rosa poco lontano
si porta a spasso per il paese
l'amore sacro e l'amor profano.

* *Bocca di rosa* (F. De Andrè) - BMG Ricordi S.p.A.

La guerra di Piero*

Dormi sepolto in un campo di grano
non è la rosa non è il tulipano
che ti fan veglia dall'ombra dei fossi
ma sono mille papaveri rossi.
Lungo le sponde del mio torrente
voglio che scendano i lucci argentati
non più i cadaveri dei soldati
portati in braccio dalla corrente.
Così dicevi ed era d'inverno
e come gli altri verso l'inferno
te ne vai triste come chi deve,
il vento ti sputa in faccia la neve.
Fermati Piero, fermati adesso,
lascia che il vento ti passi un po' addosso,
dei morti in battaglia ti porti la voce,
chi diede la vita ebbe in cambio una croce.
Ma tu no lo udisti e il tempo passava
con le stagioni a passo di giava
ed arrivasti a varcar la frontiera
in un bel giorno di primavera.
E mentre marciavi con l'anima in spalle
vedesti un uomo in fondo alla valle
che aveva il tuo stesso identico umore,
ma la divisa di un altro colore.
Sparagli Piero, sparagli ora
e dopo un colpo sparagli ancora,
fino a che tu non lo vedrai esangue
cadere in terra a coprire il suo sangue.
E se gli sparo in fronte o nel cuore
soltanto il tempo avrà per morire,
ma il tempo a me resterà per vedere,
vedere gli occhi di un uomo che muore.
E mentre gli usi questa premura
quello si volta, ti vede e ha paura
ed imbracciata l'artiglieria
non ti ricambia la cortesia.
Cadesti in terra senza un lamento
e ti accorgesti in un solo momento
che il tempo non ti sarebbe bastato
a chiedere perdono per ogni peccato.
Cadesti in terra senza un lamento
e ti accorgesti in un solo momento
che la tua vita finiva quel giorno
e non ci sarebbe stato un ritorno.
Ninetta mia crepare di maggio
ci vuole tanto troppo coraggio,
Ninetta bella dritto all'inferno
avrei preferito andarci in inverno.
E mentre il grano ti stava a sentire
dentro alle mani stringevi un fucile
dentro alla bocca stringevi parole
troppo gelate per sciogliersi al sole.
Dormi sepolto in un campo di grano
non è la rosa non è il tulipano
che ti fan veglia dall'ombra dei fossi,
ma sono mille papaveri rossi.

fabrizio de andrè

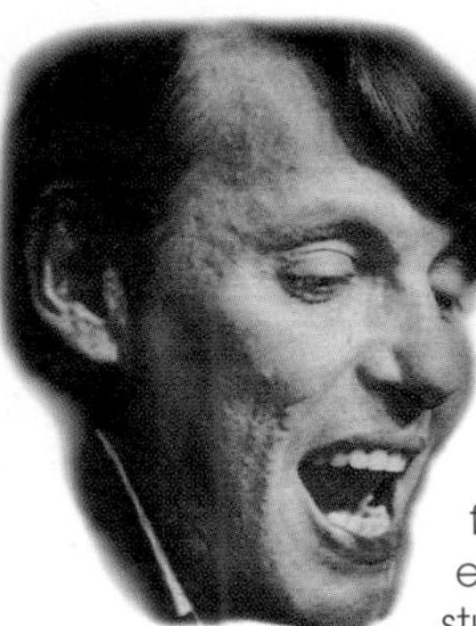

Nasce nel 1940 a Pegli (Genova). Scoppiata la guerra, la famiglia si rifugia in campagna, mentre il padre, ricercato dai fascisti, si dà alla macchia.
Nel '45 tornano a Genova dove Fabrizio frequenta la scuola elementare, seguono gli studi al ginnasio e poi al liceo e all'università (interrompe a sei esami dalla laurea in giurisprudenza). Intanto è nata la vocazione per la musica: Fabrizio studia prima il violino, poi la chitarra, suona in gruppi jazz, si esibisce in pubblico cantando canzoni francesi e comincia a scrivere brani suoi.
Nel 1958 esce il primo 45 giri. Nel 1962 sposa Enrica Rignon, una ragazza genovese che lo stesso anno gli dà un figlio, Cristiano. Intanto escono gli altri dischi con brani divenuti ormai "classici": "La guerra di Piero", "La ballata dell'eroe", "La ballata del Miché", ecc. Nel 1968 esce "Volume I" seguito da "Tutti morimmo a stento" e "Volume III" che riscuotono enorme successo.
Nel 1970 esce "La Buona Novella" tratto dai vangeli apocrifi, nel 1971 esce "Non al denaro non all'amore né al cielo" ispirato da "L'antologia di Spoon River" di Edgar Lee Masters.
Dalla contestazione del '68 esce nel 1973 "Storia di un impiegato" amara vicenda di un impiegato bombarolo. Nel 1974 in "Canzoni" Fabrizio raccoglie traduzioni di Dylan, Brassens e Cohen. Nel 1975 dalla collaborazione con Francesco De Gregori nasce l'album "Volume VIII" ; segue il primo tour dell'artista sempre restio a mostrarsi in concerto; nello stesso periodo acquista la tenuta dell'Agnata in Sardegna, presso Tempio Pausania, dove si trasferisce dedicandosi all'agricoltura e all'allevamento degli animali.
Nel 1977 dall'unione con Dori Ghezzi nasce Luisa Vittoria, detta Luvi. Nel 1978 esce l'album "Rimini". Nell'agosto del 1979 a L'Agnata in Sardegna lui e Dori Ghezzi vengono sequestrati per poi essere rilasciati solo quattro mesi più tardi. Nel 1981 esce l'album ispirato all'esperienza del sequestro e alla realtà della gente sarda. Nel 1984 esce il capolavoro "Creuza de ma" scritto a quattro mani con Mauro Pagani pluripremiato che ha la particolarità di unire la lingua genovese alle sonorità mediterranee e che due referendum tra i critici indicheranno come miglior album del decennio. Nel 1989 Fabrizio sposa Dori.
Nel 1990 esce "Le Nuvole" in cui si prende a pretesto l'opera di Aristofane per delineare figure della società di fine millennio. Nel 1996 esce l'album "Anime Salve" che ha come argomento centrale quello delle minoranze isolate e della solitudine.
Insieme ad Alessandro Gennari scrive il romanzo "Un destino ridicolo" pubblicato da Einaudi nel 1996. Mentre Fabrizio è in tour in tutta Italia di colpo si manifesta il male che lo accompagnerà alla morte durante la notte tra il 10 e l'11 gennaio 1999 presso l'Istituto dei Tumori di Milano. Avrebbe compiuto 59 anni un mese più tardi.
Nel 1999 esce "De André in concerto" e in occasione della prima commemorazione della sua morte nel gennaio 2000 esce la raccolta "Da Genova" in cui compaiono alcuni dei suoi brani meno conosciuti al grande pubblico.

[adattato dal sito http://www.faberdeandre.com/home.htm]

 **5 Ora, a coppie scambiatevi i vostri riassunti e correggeteli. Sono molto simili?**

 **6 Ti piacciono queste canzoni? Ti ricordano artisti del tuo paese? Di che temi dovrebbero trattare i cantanti nelle loro canzoni? A che cosa serve questo tipo di musica oggi? Prova a parlarne con due compagni.**

civiltà La canzone e la società italiana

Anche la canzone, come tutte le altre forme di comunicazione, riflette i cambiamenti sociali e l'evoluzione dei costumi di una società.
Se guardiamo ai testi di alcune canzoni italiane molto note che si sono susseguite dagli anni '50 a oggi possiamo vedere da vicino come è cambiata negli anni la nostra società.

Leggi le schede esemplificative degli ultimi cinquant'anni in Italia, poi leggi i brani tratti da alcune famose canzoni e prova ad abbinare le canzoni al periodo storico.

Gli anni '50

Sono gli anni della ricostruzione dopo la seconda guerra mondiale. L'Italia è ancora un paese povero che basa la sua economia principalmente sull'agricoltura anche se si gettano le basi per la grande industrializzazione degli anni '60 e '70.
Il divario fra nord e sud è ancora molto forte e il paese è ansioso di dimenticare il ventennio fascista e la disfatta della guerra.
È inevitabile che in un periodo di ricostruzione ci sia bisogno di mantenere forte il legame con le tradizioni e i valori tipicamente italiani: la famiglia prima di tutto, i buoni sentimenti, il lavoro, ecc.

Gli anni '60

Sono gli anni del "miracolo economico" e dell'inizio delle lotte operaie. Aumenta l'industrializzazione del paese e in parte, soprattutto al nord, il benessere economico.
Il paese esce gradatamente dal provincialismo e si apre agli influssi culturali provenienti dai paesi economicamente più avanzati.
La "modernità" si vede non solo nell'aumento degli elettrodomestici e delle automobili, ma anche in uno stile di vita e di pensiero che si fa più libero e aperto.

Gli anni '70

Sono anni difficili per l'insorgere del terrorismo (Brigate rosse e altre formazioni di estrema sinistra e di estrema destra) e della contestazione giovanile, ma la crescita economica del paese non si arresta.
Cresce la coscienza sociale e civile degli italiani, i vari movimenti politici e giovanili, soprattutto di sinistra ed estrema sinistra, contribuiscono a portare in primo piano tematiche civili fino ad allora non affrontate direttamente: le condizioni della classe operaia, la condizione della donna, i condizionamenti religiosi da sempre molto forti nella società italiana, ecc.
La legge che rende legale il divorzio è del 1970.

Gli anni '80

Vedono per la prima volta un governo guidato da un socialista, Bettino Craxi, si tratterà del più lungo governo dai tempi di De Gasperi.
Il paese viene diviso in regioni amministrative ognuna con proprio governo.
Viene approvata la legge sull'aborto e vi è un crescente riconoscimento dei diritti delle donne.
L'Italia diventa una delle più grandi potenze economiche del mondo.
A livello sociale questi anni sono definiti del "riflusso", cioè di un graduale distacco da parte delle persone da un impegno nel sociale e quindi di un ritorno al privato.

Gli anni'90

Inizia a crescere la disoccupazione e l'inflazione, il debito nazionale è immenso e si fa strada una forte instabilità economica.
A livello politico la crisi arriverà al suo culmine nel 1992 con "Tangentopoli" e l'arresto di personaggi politici con l'accusa di corruzione cioè di aver accettato denaro dalle più importanti aziende economiche del paese.
Terremoto politico: la Democrazia Cristiana e il Partito Socialista ottengono pochissimi voti alle elezioni e si sfasciano. Nascono nuove forze politiche come la Lega Nord e, nel 1994, Forza Italia (fondata dall'imprenditore Silvio Berlusconi) che vincerà le elezioni nello stesso anno.
Costretto alle dimissioni Berlusconi, dal 1994 al 2001 l'Italia è governata dal centro-sinistra che non riesce comunque a mantenere il potere: nelle elezioni del maggio 2001 Silvio Berlusconi e il centro-destra vincono di nuovo.
La società italiana è permeata dal malcontento, la sinistra non ha saputo dare al paese quell'immagine di modernità e di garantismo che la gente desidera. I giovani, ma non solo, hanno perso ogni entusiasmo per la politica e non ripongono la fiducia nelle istituzioni classiche.
Molti di loro preferiscono dedicarsi al volontariato e si interessano dei grandi temi internazionali come la globalizzazione e l'aiuto per i paesi del terzo mondo e le minoranze in generale.

A*

Mi han detto
Che questa mia generazione ormai non crede
In ciò che spesso han mascherato con la fede,
nei miti eterni della patria e dell'eroe
perché è venuto ormai il momento di negare tutto ciò che è falsità,
le fedi fatte di abitudini e paure,
una politica che è solo far carriera,
il perbenismo interessato, la dignità fatta di vuoto,
l'ipocrisia di chi sta sempre con la ragione e mai col torto
e un Dio che è morto,
nei campi di sterminio Dio è morto,
coi miti della razza Dio è morto,
con gli odi di partito Dio è morto.

* *Dio è morto* (F. Guccini) - © 1968 - EMI Music Publishing Italia s.r.l.

B*

Son tutte belle le mamme del mondo
Quando un bambino si stringono al cuor.
Son le bellezze di un bene profondo,
fatto di sogni, rinunce ed amor.

* *Tutte le mamme* (Bertini-Falcocchio) - © 1954 - FOX Edizioni

C*

E in questo sabato qualunque,
un sabato italiano,
il peggio sembra essere passato.
La notte è un *dirigibile*
che ci porta via, lontano.
E adesso navighiamo dentro un sogno planetario,
il whisky mi ritorna su
divento letterario,
"ma perché non vai dal medico"
e che ci vado a fare?
non voglio mica smettere di bere e di fumare...

* *Un sabato italiano* (S. Caputo) - © 1983 - IDIOSYNCRASY Music

D

Pazza idea di far l'amore con lui
pensando di stare ancora
insieme a te
folle folle folle idea di averti qui
se io chiudo gli occhi vedo te...

* *Pazza idea* (Dossena-Monti-Gigli-Ullu)

E*

Vecchia piccola borghesia
per piccina che tu sia
non so dire se fai più
rabbia, pena, schifo o
malinconia.
Sei contenta se un ladro
muore se si arresta una
puttana
se la parrocchia del Sacro Cuore acquista una nuova
campana.
Sei soddisfatta dei danni altrui,
tieni stretti i denari tuoi, assillata dal gran tormento
che un giorno se li riprenda il vento.
E la domenica vestita a festa con i capi famiglia in testa
ti raduni nelle tue Chiese in ogni città, in ogni paese.
Presti ascolto all'omelia, rinunciando all'osteria,
così grigia così per bene, ti porti a spasso le tue catene.

* *Borghesia* (C. Lolli)

F*

Parcheggi abusivi,
applausi abusivi,
villette abusive,
abusi sessuali abusivi;
tanta voglia di
ricominciare abusiva.
Appalti truccati,
trapianti truccati,
motorini truccati
che scippano donne
truccate;
il visagista delle dive è truccatissimo.
Papaveri e papi, la donna cannolo,
una lacrima sul visto: Italia sì, Italia no.
Italia sì, Italia no, Italia bum, la strage impunita.
Puoi dir di sì, puoi dir di no, ma questa è la vita.
Prepariamoci un caffè, non rechiamoci al caffè:
c'è un commando che ci aspetta per assassinarci un po'.
Commando sì, commando no, commando omicida.
Commando pam, commando prapapapam,
ma se c'è la partita
il commando non ci sta e allo stadio se ne va,
sventolando il bandierone non più il sangue scorrerà.

* *La terra dei cachi* (Civaschi-Belisari-Conforti-Fasani)

G*

Compagni dai campi e dalle officine
Prendete la falce, portate il martello,
scendete giù in piazza,
picchiate con quello
scendete giù in piazza, affossate il sistema.

* *Contessa* (P. Pietrangeli-G. Salviucci Marini)

H*

Voglio una vita
maleducata
Di quelle fatte così
Voglio una vita che se ne frega
Che se ne frega di tutto,sì.
Voglio una vita che non è
mai tardi
Di quelle che non dormi mai
Voglio una vita..., vedrai che vita vedrai.
E poi ci ritroveremo come le star
A bere del whisky al Roxy bar
Forse non si incontreremo mai
Ognuno a rincorrere i suoi guai
Ognuno col suo viaggio
Ognuno diverso
Ognuno in fondo perso dentro i fatti suoi.

* *Vita spericolata* (T. Ferro-V. Rossi)

I*

Vespe truccate anni sessanta
girano in centro sfiorando i novanta
rosse di fuoco comincia la danza di frecce
con dietro attaccata una targa
dammi una special, l'estate che avanza
dammi una vespa e ti porto in vacanza.
Ma quant'è bello andare in giro con le ali sotto i piedi
Se è una vespa special che ti toglie i problemi.
Ma quant'è bello andare in giro per i colli bolognesi
Se è una vespa special che ti toglie i problemi.
La scuola non va
ma una vespa e una donna non ho
ho una vespa domenica è già
e una vespa mi porterà fuori città.

* *50 special* (C. Cremonini) (P) 1999 Lomaxtape Ltd

L*

Vola, colomba bianca vola...
Diglielo, tu, che tornerò...
Dille che non sarà più sola
e che mai più la lascerò!

* *Vola colomba* (B. Cherubini-C. Concina)

lessico Le parole onomatopeiche

Parola onomatopeica: *che imita i suoni, i rumori, i versi degli animali attraverso le lettere di cui è composta.*

Sono tante le parole onomatopeiche che si usano nella vita di tutti i giorni. A volte sono uguali o molto simili in varie lingue. Il linguaggio dei bambini, quello dei fumetti, ma anche certa poesia ne sono molto ricchi. Te ne presentiamo alcuni tra i più usati.

1 Abbina le parole della colonna di sinistra alle spiegazioni di quella di destra.

1 bip
2 bau bau
3 bla bla
4 brr
5 chicchirichì
6 cip cip
7 coccodè
8 cucù
9 dindondan
10 gnam gnam
11 miao
12 tic tac
13 tacchete
14 tin tin
15 zzz

a è il verso degli uccellini.
b imita il suono di chi chiacchiera senza interrompersi. Solitamente negativo, sinonimo di parlare senza aver nulla da dire.
c è il verso della gallina.
d imita il suono di apparecchi elettronici.
e è il verso del gallo.
f rappresenta il brivido di freddo.
g è il verso del cane.
h imita il rumore di chi sta masticando. Si usa per esprimere la fame, l'appetito o quando qualche piatto piace in modo particolare.
i imita un suono dato da piccoli colpi ripetuti tipo quello dell'orologio.
l imita il suono di colpi metallici.
m il suono delle campane.
n è il verso del cuculo. Si usa quando ci si nasconde giocando con i bambini e si vuole attirare l'attenzione.
o imita il ronzio di un insetto o il suono di chi sta russando mentre dorme.
p è il verso del gatto.
q riproduce un rumore secco, rapido e breve. In senso figurato esprime l'accadere improvviso di un fatto.

2 Completa le frasi con la parola onomatopeica appropriata.

1 Mi trovavo benissimo al lavoro, quando ....tacchete.........., mi hanno detto che la ditta si sarebbe trasferita in Romania.
2 Lo senti anche tu quello strano .... ? È come se qualcuno in lontananza stesse martellando su un tubo.
3 Basta non sopporto più questa zanzara! È un continuo .... nelle orecchie!
4 Alice, ...! Sono qua dietro, non mi vedi?
5 Che profumo! ....! Siamo già pronti per mangiare!
6 Un .... disperato poi silenzio e alla fine un bel .... soddisfatto del tuo gatto. Ecco come ha trascorso gli ultimi momenti di vita il tuo canarino.

3 Ora ascolta le frasi e controlla le tue risposte.

Le famiglie di parole

Spesso parlando e ancora più scrivendo abbiamo bisogno di parole che ci permettano di evitare le ripetizioni.
Ad esempio: quante volte capita di non voler ripetere il verbo *dire* o *pensare*?

4 Completa la tabella con verbi presi dal riquadro.

pensare	suggerire	capire

cogliere, comprendere, realizzare, afferrare, credere, considerare, ritenere, tener conto, riflettere, ponderare, consigliare, proporre, raccomandare

5 In realtà anche se appartengono alla stessa famiglia queste parole hanno significati diversi. Cerca sul dizionario i verbi che non conosci.

6 Prova a pensare a quanti verbi esistono nella tua lingua per esprimere certi concetti. Cerca sul dizionario della tua lingua più verbi possibile delle famiglie di *vedere*, *sentire*, *dire*. Poi con un dizionario bilingue cerca la traduzione italiana dei verbi che hai trovato.

7 Guarda le vignette. Cosa stanno facendo le persone?

....

....

....

....

....

....

....

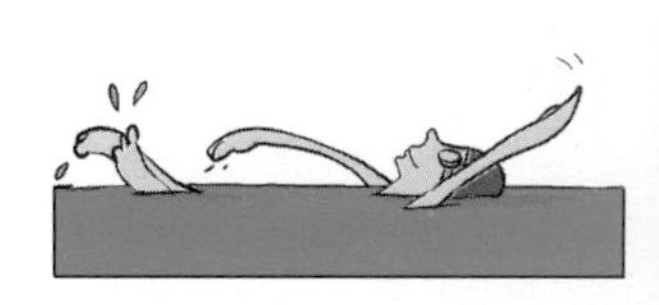

....

8 Crea una lista dei verbi che esprimono movimento. Aiutati con il dizionario.

I modi indefiniti: gerundio, infinito e participio

Sono modi del verbo che non hanno mai il soggetto espresso.

Gerundio		
	Gerundio presente	Gerundio passato
Parl - **are**	Parl - **ando**	Avendo parlato
Cred - **ere**	Cred - **endo**	Avendo creduto
Part - **ire**	Part - **endo**	Essendo partiti/e

Il gerundio passato si forma mettendo al gerundio il verbo ausiliare *essere* (*essendo*) o *avere* (*avendo*) e aggiungendo il participio passato del verbo.

Il gerundio ha varie funzioni.

ipotetica
- ***Leggendo*** *molto in italiano riusciresti a migliorare l'ortografia.*
- ***Se leggessi*** *molto in italiano riusciresti a migliorare l'ortografia.*

modale
- ***Giocando*** *i bambini imparano a stare con gli altri.*
- ***Con il gioco*** *i bambini imparano a stare con gli altri.*

temporale
- ***Facendo*** *la doccia, sono caduto e mi sono fatto un taglio sul ginocchio.*
- ***Mentre facevo*** *la doccia, sono caduto e mi sono fatto un taglio sul ginocchio.*

causale
- *Alida ora è mamma,* ***avendo adottato*** *una bambina di origine cinese.*
- *Alida ora è mamma,* ***poiché ha adottato*** *una bambina di origine cinese.*

Il gerundio si usa anche nelle frasi **concessive**, preceduto da **pur**
- ***Pur avendo abitato*** *un anno in Germania non conosco una parola di tedesco.*
- ***Anche se*** *ho abitato un anno in Germania non conosco una parola di tedesco.*

Il **gerundio presente** si usa quando l'azione della principale è **contemporanea** a quella della secondaria.
- ***Aprendo*** *la porta, mi sono accorto che qualcosa non andava.*

Le due azioni avvengono nello stesso momento.

Il **gerundio passato** si usa invece quando l'azione espressa dal gerundio passato è avvenuta prima dell'azione della principale.
- ***Avendo bevuto*** *molta birra ieri sera, oggi Lino ha un forte mal di testa.*

Con il gerundio i pronomi personali vanno dopo il verbo.
- ***Parlandogli*** *di Luisa, Claudio si è messo a piangere.*

1 Trasforma la frase con il gerundio per dire la stessa cosa.

1 Correndo, Leonardo è caduto.
Poiché ....
Mentre ....correva Leonardo è caduto......
Anche se ....

2 Chiacchierando con mia moglie, ho tamponato una macchina davanti a me.
Poiché ....
Mentre ....
Anche se ....

3 Pur avendole parlato a lungo, Simona non ha accettato di cambiare lavoro.
Poiché ....
Mentre ....
Anche se ....

4 Ricordandomi che Giorgio abitava vicino al Ponte di Mezzo, sono arrivato a casa sua senza difficoltà.
Poiché ....
Mentre ....
Anche se ....

2 Completa le frasi con un gerundio. Usa un verbo del riquadro.

1 Ho trovato un fungo porcino enorme, ...cercando.......... i tartufi con Poldo, il mio cane.
2 Molti studenti dicono che studiano meglio .... la musica.
3 .... con una squadra inglese ieri sera, ora la Lazio è fuori dalla Champion's League.
4 Pur .... l'autostrada da Parma a Perugia ci vogliono almeno tre ore.
5 .... molti paesi, sono convinto che non c'è modo migliore di spendere isoldi.
6 Conosco abbastanza bene l'inglese, ... a scuola da ragazzo.

studiare, ascoltare, fare, visitare, cercare, perdere

L'infinito

L'**infinito** ha due tempi: il presente e il passato.

Presente	Passato
Giocare	**Avere giocato**

Ha varie funzioni.
- *Ti ricordi di* ***riportarmi*** *il mio dizionario? Puoi* ***lasciarlo*** *a mia madre se io non ci sono.*
- ***Nuotare*** *aiuta a mantenersi in forma.*
- *Non* ***fumare****! Ti fa male.*

Verbi + preposizione + infinito: vedi Rete! 3 Unità 8

Nella prima frase l'infinito è il modo richiesto da altri verbi (ricordare, potere).
Nel secondo esempio si tratta di un infinito con valore di sostantivo.
Si può anche dire: il nuoto aiuta a mantenersi in forma.
Nel terzo caso è solo formalmente un infinito.
In realtà è un imperativo negativo.

Osserva la prima frase: dove vanno i pronomi?
Anche con l'infinito i pronomi personali atoni, *ne* e *ci* vanno dopo l'infinito. Inoltre l'ultima vocale **e** cade.

L'**infinito passato** si forma con l'infinito presente dei verbi *essere* o *avere* + il participio passato del verbo.

Al posto della forma intera *avere* si usa spesso la forma *aver*.

Osserva gli esempi che seguono. Quando si usa l'infinito passato? Quale delle due frasi (la principale o la secondaria con l'infinito) descrive un'azione che avviene prima?

- *Dopo* ***aver mangiato****, siamo usciti per una passeggiata.*
- *Ho preso un bel voto per* ***aver risposto*** *correttamente a tutte le domande.*

L'**infinito passato** si usa perché l'azione della secondaria è avvenuta prima rispetto a quella della principale.
Si trova spesso con **dopo** e **per**.
In entrambi i casi la forma con l'infinito (implicita) è possibile solo quando il soggetto della principale è uguale a quello della secondaria.

3 Trasforma le frasi usando un infinito, dove possibile.

1 Mi sono arrabbiato molto con me stesso perché non mi sono ricordato di telefonare a mia madre per la Festa della Mamma.
Mi sono arrabbiato molto con me stesso per non essermi ricordato di telefonare a mia madre per la Festa della Mamma
2 L'imputato è stato assolto perché non ha commesso il reato.
....

3 Ho mandato un e-mail alla ditta Arnoldi dopo che ho letto l'annuncio sul giornale per un posto da operaio.

....

4 Dopo che siamo arrivati a casa ci siamo accorti di aver lasciato Tommy, il gatto, in campagna.

....

5 Roberto ha ricevuto un premio internazionale perché ha preparato la miglior torta al cioccolato.

....

6 Dopo che ha costruito la casa di mio fratello, la ditta è fallita.

....

7 Ho mandato un biglietto di ringraziamento a Gianna perché ci ha spedito un regalo per la nascita di Penny.

....

8 Il vigile mi ha dato una multa di 50 euro perché sono passato con il rosso.

....

Il participio

Il **participio presente**

Participio presente	
Parl - **are** Cred - **ere** Part - **ire**	Parl - **ante** Cred - **ente** Part - **ente**

Alcuni participi presenti irregolari.

Bere	Bev - **ente**
Condurre	Conduc - **ente**
Dire	Dic - **ente**
Fare	Fac - **ente**
Porre	Pon - **ente**
Trarre	Tra - **ente**

Diversi verbi in -**ire** hanno il participio presente in -**iente**.

ubbid**ire** > ubbid**iente**
conven**ire** > conven**iente**
proven**ire** > proven**iente**

Il **participio presente** si usa come aggettivo, sostantivo e verbo.
L'uso come aggettivo e come sostantivo del participio presente è il più frequente:

come **aggettivo**:
- un uomo attraente;
- un libro affascinante.

come **sostantivo**:
- il presidente;
- la cantante;
- l'altoparlante.

Come aggettivo e come sostantivo si comporta come i nomi e gli aggettivi in -e, cioè ha una sola forma in -e per maschile e femminile singolare e in -i per il plurale.

Quando è usato come verbo il participio presente ha il valore di una preposizione relativa (che....).
Si tratta di un uso limitato al linguaggio burocratico.

- *Gli stranieri **provenienti** da paesi non **appartenenti** all'Unione Europea hanno spesso bisogno di un visto per entrare in Italia.*
- *Gli stranieri che provengono da paesi che non appartengono all'Unione Europea hanno spesso bisogno di un visto per entrare in Italia.*

Il **participio passato**
Le forme del participio passato regolari e irregolari possono essere trovate in Rete! 1 e Rete! 2.
Oltre all'uso nella formazione dei vari tempi composti, il participio passato si usa

come **aggettivo**:
- *Fate questo esercizio con i libri **chiusi**.*

come **sostantivo**:
- *I **pensionati** in Italia possono contare su diversi servizi per il tempo libero.*

come **verbo**:
oltre all'utilizzo nei tempi composti, il participio passato dei soli verbi transitivi si usa con valore passivo per sostituire un'intera frase relativa o temporale con *dopo che*.

- *A causa di un forte terremoto la zona, **abitata** da diverse migliaia di persone, è stata interamente evacuata.*
...che era abitata da diverse migliaia di persone...
- *Morto un papa se ne fa un altro.*
Dopo che è morto un papa...

Questo è un detto italiano.
Secondo te cosa significa?

4 Trasforma le frasi con i participi in frasi esplicite.

1 Tutte le persone amanti del bel canto sono invitate al concerto del coro del Maestro Pasini il 24 dicembre presso la Chiesa dell'Annunziata.
Tutte le persone che amano il bel canto sono invitate al concerto del coro del Maestro Pasini il 24 dicembre presso la Chiesa dell'Annunziata

2 Il consiglio comunale, presieduto dal sindaco in persona, ha deliberato di inviare un aiuto alle popolazioni colpite dall'alluvione della scorsa settimana.
....

3 Il direttore, assistito dalla sua segretaria personale, ha ricevuto l'amministratore delegato della filiale di Tokyo.
....

4 I giovani nati nel 1985 sono stati gli ultimi chiamati a fare il servizio militare obbligatorio.
....

5 I cittadini residenti in Via Turati non potranno parcheggiare più la loro auto sotto casa perché il Comune ha istituito il divieto di sosta.
....

6 Ascoltato l'ultimo disco di Ligabue, abbiamo spento la luce e ci siamo addormentati.
....

La concordanza dei tempi con l'indicativo

Il verbo della principale è all'**indicativo presente**,

- L'azione della dipendente avviene dopo l'azione della principale: si usa l'**indicativo presente** o **futuro**.

Ora — Tra un'ora

- Sono sicuro che tra un'ora mia figlia si **sveglierà** per prendere il biberon.

- Le due azioni avvengono nello stesso momento: si usa l'**indicativo presente**.

Ora

- Dimmi che non è vero, che non stai di nuovo mangiando quelle porcherie.

- L'azione della dipendente è avvenuta prima: si usa **l'indicativo passato prossimo/remoto** o **imperfetto**.

Nel 2000 — Ora

- So per certo che nel 2000 Paul **viveva** ancora in Inghilterra.

Il verbo della principale è all'**indicativo passato prossimo/remoto, imperfetto** o **trapassato prossimo**,

- L'azione della dipendente avviene *dopo* l'azione della principale: si usa il **condizionale composto**.

31 dicembre 1999 — 1 gennaio 2000

- *Il 31 dicembre 1999* ***ero convinto*** *che con il nuovo anno tutto sarebbe continuato come prima.*

- Le due azioni avvengono nello stesso momento: si usa **l'indicativo passato prossimo/remoto, imperfetto** o **trapassato prossimo**.

ieri

- *Ieri mattina mi* ***sono accorto*** *che non* ***avevo*** *ancora il regalo per Penny e* ***sono uscito*** *a comprarlo.*

- L'azione della dipendente è avvenuta *prima*: si usa l'**indicativo trapassato**.

domenica — lunedì

- *Quando* ***ho scaricato*** *la posta lunedì,* ***ho visto*** *che domenica Mary mi* ***aveva mandato*** *un messaggio.*

5 Completa le frasi con il tempo appropriato. Usa uno dei verbi del riquadro.

1 Mamma, ti dico che questa mattina ....ero.......... a scuola!
2 Ti credo, ma ripetimi che cosa .... quando sei uscito.
3 Siamo certi che presto i sindacati .... un accordo sul contratto di lavoro per i prossimi tre anni.
4 Ti ricordi che oggi pomeriggio .... andare dal medico?
5 Sai chi .... questa mattina? Roberta, non la vedevo da almeno due anni.
6 Sapevo che mi .... vicino in questi momenti difficili, sei un vero amico!
7 Te lo avevo detto che i ladri non .... via il tuo quadro. Guarda, è ancora al suo posto.
8 Questa mattina il governo ha comunicato che l'anno scorso le entrate fiscali .... del 10%.

essere, incontrare, aumentare, trovare, fare, portare, dovere, rimanere

1 ***La canzone di Marinella**** **è una delle più famose canzoni di Fabrizio de Andrè. Leggi attentamente il testo. La prima strofa e l'ultima sono in ordine, mentre le altre sono scambiate. Cerca, in base al senso, di ricostruire la storia di Marinella, inserendo il numero delle strofe corrispondenti nella tabella, come nell'esempio.**

1 Questa di Marinella è la storia vera,
che scivolò nel fiume a primavera,
ma il vento che la vide così bella,
dal fiume la portò sopra una stella.

2 E c'era il sole e avevi gli occhi belli,
Lui ti baciò le labbra ed i capelli,
c'era la luna e avevi gli occhi stanchi
lui pose le sue mani sui tuoi fianchi

3 Furono baci e furono sorrisi
Poi furono soltanto i fiordalisi
Che videro con gli occhi nelle stelle
Fremere al vento e ai baci la tua pelle.

4 Sola senza il ricordo di un dolore
Vivevi senza il sogno di un amore
Ma un re senza corone e senza scorta
Bussò tre volte un giorno alla tua porta.

5 Dicono poi che mentre ritornavi
Nel fiume, chissà come, scivolavi
E lui che non ti volle creder morta
Bussò cent'anni ancora alla tua porta.

6 Bianco come la luna il suo cappello
Come l'amore rosso il suo mantello
Tu lo seguisti senza una ragione
Come un ragazzo segue un aquilone.

7 Questa è la tua canzone Marinella
Che sei volata in cielo su una stella
E come tutte le più belle cose
Vivesti solo un giorno come le rose
Vivesti solo un giorno come le rose.

1	2	3	4	5	6	7
a						g

* *La canzone di Marinella* (F. De Andrè) © 1968 Edizioni LEONARDO s.r.l., C.so Europa, 5 - 20122 Milano/LA CASCINA Edizioni Musicali s.r.l. (Cascina Luisa) 20080 Zibido S. Giacomo (MI)

..... / 10

2 Leggi il dialogo tra Laura e Franca e completalo utilizzando le diverse forme del gerundio o dell'infinito dei verbi contenuti nel riquadro.

Laura: Sì, pronto?
Franca: Ciao Laura, sono Franca, ti disturbo, sei impegnata?
Laura: No, figurati.
Franca: Che musica .... ?
Laura: L'ultimo disco di Francesco Guccini.
Franca: Com'è?
Laura: Mi sembra bello, però l'ho messo su .... le pulizie di casa e non .... con troppa attenzione i testi, però mi pare che ci siano delle canzoni molto carine. È un grande, come al solito.
Franca: A me però dopo .... Guccini mi vengono tutte le paranoie esistenziali.
Laura: Mah! Io sono una sua fan da sempre. Forse alcune canzoni sono malinconiche, però per me sono poesie vere e proprie e anche la musica è molto bella. Senti, che .... ? Ti sento un po' triste.
Franca: Bah! No, niente, a dir la verità mi .... un po' .... Qualche volta 'sta vita da single...
Laura: Senti, io dopo le pulizie pensavo di .... a .... la spesa se ti va ci andiamo insieme.
Franca: Però .... che Dio la manda...
Laura: Ma che palle che sei, dai, vengo a .... in macchina, possiamo .... parcheggiata vicino al mercato e dopo .... la spesa ci andiamo a .... qualcosa lì intorno.
Franca: D'accordo, allora ti aspetto.
Laura: A dopo.

andare, annoiarsi, ascoltare (2 volte), fare (4 volte), lasciare, mangiare, piovere, prendere, seguire

..... / 10

3 **Associa il nome allo strumento musicale corrispondente. Osserva l'esempio.**

1 arpa
2 basso elettrico
3 batteria
4 chitarra classica
5 violino
6 clarinetto
7 contrabbasso
8 flauto traverso
9 sassofono
10 violoncello
11 tromba
12 trombone
13 viola
14 chitarra elettrica

10 A	B	C	D	E	F	G
H	I	L	M	N	O	P

..... / 13

4 **Forma delle frasi.**

1 avendo - da - Francesca - la - legge - musica- non - piano - piccola - più - pur- studiato

....

2 a - conoscersi - impara - musicale- più - profondamente- si - strumento - suonando - uno

....

3 d' - diplomato - direzione - dopo - essersi - Francesco - ha - in - orchestra - studiato - violino

....

4 anni – avendo- chitarrista- di - dopo - due - è - gruppo - il - il - perso- Pino - sciolto - si

....

..... / 4

5 **Completa le frasi con nomi o aggettivi utilizzando il participio presente. Osserva l'esempio.**

1 Il vincitore si è complimentato con il ......perdente...... .
2 Sulla busta, oltre al destinatario bisogna scrivere il ....
3 Secondo la tradizione in agricoltura è molto importante tener conto se la luna è crescente o ....
4 Quel ragazzo è sempre nervoso ed eccitato, avrebbe bisogno di un ....
5 Dall'aspetto sembrava una persona molto colta, invece sentendolo parlare mi sono accorto che era un ....
6 Franco non va mai in chiesa perché non è ....

..... / 5

6 **E tu che musica ascolti? Racconta brevemente che musica ti piace ascoltare e perché.**

....
....
....
....

..... / 13

NOME:
DATA:
CLASSE:

totale ..... / 55

 **1 Vi piace andare a teatro e al cinema? Ci andate spesso? Parlatene a piccoli gruppi.**

 **2 Sempre lavorando a piccoli gruppi: quali riflessioni vi suscita questa immagine? Leggete il titolo del testo che segue. Di che cosa tratterà secondo voi?**

3 Leggi il testo che segue e rispondi alle domande.

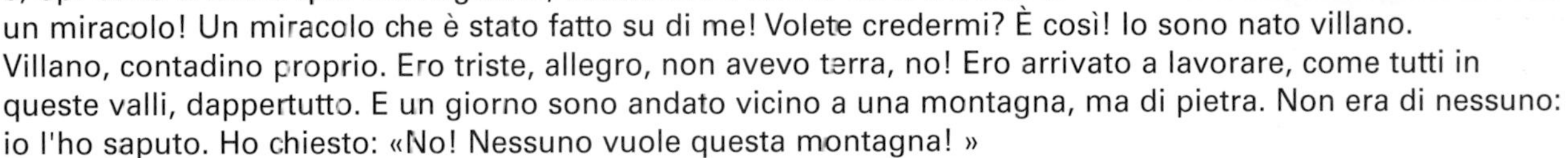
Nelle piazze durante le fiere e nelle corti si esibivano i giullari, cantastorie e giocolieri il cui scopo era intrattenere, far ridere, divertire. In senso figurato è in parte sinonimo di buffone, persona poco seria.

Nascita del giullare

Mistero buffo (1969)

Oh, gente, venite qui che c'è il giullare! Giullare son io, che salta e piroetta e che vi fa ridere, che prende in giro i potenti e vi fa vedere come sono tronfi e gonfi i palloni che vanno in giro a far guerre dove noi siamo gli scannati, e ve li faccio sfigurare, gli tolgo il tappo e... pffs... si sgonfiano. Venite qui che è l'ora e il luogo che io faccia da pagliaccio, che vi insegni. Faccio il saltino, faccio la cantatina, faccio i giochetti! Guarda la lingua come gira! Sembra un coltello, cerca di ricordartelo. Ma io non sono stato sempre... e questo che vi voglio raccontare, come sono nato.
Non che io non sono nato giullare, non sono venuto con un soffio dal cielo e, op! sono arrivato qui: «Buongiorno, buonasera». No! Io sono il frutto di un miracolo! Un miracolo che è stato fatto su di me! Volete credermi? È così! Io sono nato villano. Villano, contadino proprio. Ero triste, allegro, non avevo terra, no! Ero arrivato a lavorare, come tutti in queste valli, dappertutto. E un giorno sono andato vicino a una montagna, ma di pietra. Non era di nessuno: io l'ho saputo. Ho chiesto: «No! Nessuno vuole questa montagna! »
Allora io sono andato fino in cima ho grattato con le unghie e ho visto che c'era un po' di terra, e ho visto che c'era un filino d'acqua che scendeva, e allora ho cominciato a grattare. Sono andato in riva al fiume, ho schiantato queste braccia, ho portato la terra (alla montagna), c'erano i miei bambini, mia moglie. È dolce mia moglie, bianca che è, ha due seni tondi, e l'andamento morbido che ha, che sembra una giovenca quando si muove. Oh! è bella! Le voglio bene io e voglio parlarne.
La terra ho portato su con le braccia e l'erba (cresceva velocemente) faceva: pff... e veniva su di tutto. E dai che era bello, era terra d'oro! Piantavo la zappa e... pff... nasceva un albero. Meraviglia era, quella terra! Era un miracolo! C'erano pioppi, roveri e alberi dappertutto. Li seminavo con la luna giusta, io conoscevo (io sapevo), e cresceva roba da mangiare, dolce, bella, buona. C'era cicorino, cardi, fagioli, rape, c'era di tutto. Per me, per noi!
Oh, ero contento! Si ballava, e poi pioveva sempre per dei giorni e il sole scottava e io andavo, venivo, le lune erano giuste e non c'era mai troppo vento o troppa nebbia. Era bello! bello! Era terra nostra. Bello era questo gradinone. Ogni giorno ne facevo uno, sembrava la torre di Babele, bella con queste terrazze. Era il paradiso, il paradiso terrestre! Lo giuro. E tutti i contadini passando dicevano:
- Che culo che hai, boia, guarda: da una pietraia l'hai tirata fuori! Me disgraziato che non l'ho pensato!
E avevano invidia. Un giorno è passato il padrone di tutta la valle, ha guardato e ha detto:
- Da dove è nata questa torre? Di chi è questa terra?
- Mia, - gli ho detto, - l'ho fatta io con queste mani, non era di nessuno.
- Nessuno? È una parola che non c'è, nessuno, è mia!
- No! non è la tua! Sono andato anche dal notaio, non era di nessuno. Ho chiesto al prete, era di nessuno e io l'ho fatta, pezzo per pezzo.
- È mia, e tu me l'hai a dare.
- Non posso dartela, padrone... io non posso andare sotto gli altri a lavorare.
- Io te la pago! Ti do denaro, dimmi quanto vuoi.
- No! No, non voglio denaro, perché, se mi dai i soldi, poi non posso comprare altra terra coi soldi che mi dai e devo andare ancora a lavorare sotto agli altri. Non voglio io, non voglio!

[Da http://www.nobel.se/literature/laureates/1997/fo-prose.html]

1 A che pubblico si rivolge l'attore?
- [ ] a un pubblico televisivo.
- [ ] a un pubblico di corte.
- [ ] a un pubblico popolare.

2 Cosa vuol far vedere?
- [ ] quanto sono meschini e pieni di sé i potenti.
- [ ] come il teatro serva a far ridere.
- [ ] come ci si diverte a teatro saltando e cantando.

3 Il giullare fa parte del popolo, visto all'inizio come
- [ ] massa di ignoranti che si divertono con poco.
- [ ] carne da cannone per le guerre volute dai potenti.
- [ ] persone che vivono tranquillamente nonostante i problemi economici.

4 Il giullare pensa di poter
- [ ] far divertire.
- [ ] far divertire e insegnare.
- [ ] far sognare.

5 La lingua è paragonata a
- [ ] uno strumento musicale.
- [ ] a una macchina.
- [ ] a un'arma.

6 Prima il giullare era
- [ ] un commerciante.
- [ ] un contadino povero e senza terra.
- [ ] un ricco a cui sono state tolte le terre.

7 La sua vita è cambiata quando ha deciso
- [ ] di trovare un altro lavoro.
- [ ] di diventare attore.
- [ ] di coltivare un pezzo di terra per suo conto.

8 Dopo essere riuscito con il proprio lavoro a migliorare le condizioni di vita
- [ ] il sindaco del suo paese gli ha dato un premio.
- [ ] il padrone gli ha tolto la terra.
- [ ] gli altri contadini si sono uniti a lui.

4 Lavora con un compagno. Secondo voi dove e in che epoca potrebbe essere ambientato il testo *Nascita del giullare*? Il giullare di Dario Fo che ruolo sociale ha?

Chi è Dario Fo?

... undici tomi, 35 titoli
La sua vita, le sue commedie, le sue rappresentazioni

Dario Fo è nato a Sangiano, in provincia di Varese, nel 1926. Dopo gli studi all'Accademia di Brera, lascia la facoltà di Architettura per dedicarsi alla scenografia e ai monologhi teatrali. Nel '51 viene scritturato per una rivista, "Sette giorni a Milano", dove incontra Franca Rame, che diventa presto sua moglie e sua partner in tutti i lavori teatrali. Già in occasione della prima opera di Fo, "*Il dito nell'occhio*" del '53, le chiese invitano i fedeli a non andare a vederla. Il debutto all'estero avviene nel '61, a Stoccolma, con "*Ladri, manichini e donne nude*".

Nel '63 Fo lavora con Franca Rame ai testi per "Canzonissima", ma alcuni sketch politici vengono censurati e i due abbandonano la trasmissione: per questo subiscono cinque processi e per anni vengono ignorati dalla televisione. Il grande successo teatrale arriva all'inizio degli anni Settanta con "*Mistero buffo*", "*Morte accidentale di un anarchico*", ispirato dalla strage di piazza Fontana e dalla morte dell'anarchico Pinelli, la satira politica di "*Settimo ruba un po' meno*" e di "*Fanfani rapito*". In questi stessi anni Franca Rame viene sequestrata e seviziata da un gruppo di fascisti, Fo è arrestato per essersi opposto alla polizia che voleva bloccare un suo spettacolo. Nel '75 la Rai trasmette "*Mistero buffo*" e un gruppo di intellettuali svedesi propone Fo per il Nobel.
Nell'80 e nell'83 Fo viene invitato negli Stati Uniti, ma gli viene negato il visto: lo ottiene solo nell'86, su interessamento di Reagan. Tra i titoli degli anni Ottanta: "*Coppia aperta*", "*Parti femminili*", "*La rava e la fava*".

Nel '94 Fo viene colpito da un ictus cerebrale che lo priva quasi completamente della vista, ma a poco a poco si riprende e torna a scrivere. L'estate scorsa a Taormina ha debuttato la sua ultima commedia, "*Il diavolo con le zinne*", interpretata da Giorgio Albertazzi e Franca Rame. La sua opera omnia, in corso di pubblicazione da Einaudi, comprende finora 11 volumi di commedie - in tutto 35 titoli - e un "*Manuale minimo dell'attore*" che verrà ripubblicato nella collana "*Stile Libero*". Le sue opere sono state rappresentate in oltre 50 paesi e tradotte in più di 30 lingue.

Dileggiare: *prendere in giro, mettere in ridicolo, prendersi gioco di qualcuno o qualcosa con disprezzo.*

«Il Premio Nobel per la Letteratura viene assegnato a Dario Fo perché, insieme a Franca Rame, attrice e scrittrice, nella tradizione dei giullari medievali, dileggia il potere e restituisce la dignità agli oppressi».

(Accademia di Svezia)

5 Ascolta Dario Fo che spiega che cos'è il grammelott e rispondi alle domande.

1 Chi ha inventato la parola "grammelott"?
2 Cosa significa "grammelott"?
3 Cosa fanno il bambino napoletano e quello inglese osservati da Dario Fo per capirsi?
4 Com'è che il pubblico arriva a capire?

6 Ora ascolta un esempio di grammelott e... buon divertimento!

lessico Modi di dire

Nelle domande dell'attività 3 abbiamo incontrato l'espressione "essere carne da cannone". Te ne presentiamo ora alcune altre.

1 In ogni lingua sono innumerevoli i modi di dire. E ne nascono continuamente dei nuovi. Quali conosci in italiano che ti piacciono in modo particolare o che usi spesso? Scrivine tre.

2 Abbina le funzioni comunicative ai modi di dire.

1 Si usa per esprimere noia.
2 Si usa per esprimere meraviglia.
3 Si usa per esprimere disgusto.
4 Si usa quando il comportamento di una persona risulta strano.
5 Si usa per esprimere preoccupazione o sorpresa in negativo.
6 Si usa per esprimere accordo e concludere un contratto soprattutto in senso figurato.
7 Si usa per invitare in modo rude una persona a non interessarsi a cose che non la riguardano.
8 Si usa per rifiutarsi di fare qualcosa.
9 Si usa quando si pensa che dietro la realtà apparente si nasconda qualcosa non chiaro.
10 Si usa per concludere un rapporto, per interromperlo.

a Che roba!
b Che palle! Che noia!
c Che ti passa per la testa?
d Che schifo!
e Affare fatto!
f Che casino!
g Nemmeno per sogno!
h Fatti gli affari tuoi!
i Chi s'è visto s'è visto!
l Qui gatta ci cova!

3 Ti proponiamo una serie di modi di dire dell'italiano di oggi. Ne sai dare una traduzione corretta nella tua lingua? Usa il dizionario se necessario.

In Italiano	Nella tua lingua
Beato te!	
Altro che!	
Caschi il mondo...	
Ci mancherebbe altro!	
Cose dell'altro mondo!	
È una parola!	
In parole povere...	
Lascia perdere!	
Lasciami stare!	
Meno male!	
Non ne posso più!	
Roba da matti!	
Siamo alle solite!	

grammatica

La concordanza dei tempi con il congiuntivo

Il verbo della principale è all'**indicativo presente**

l'azione della dipendente avviene dopo l'azione della principale: si usa il **congiuntivo presente** o l'**indicativo futuro**;

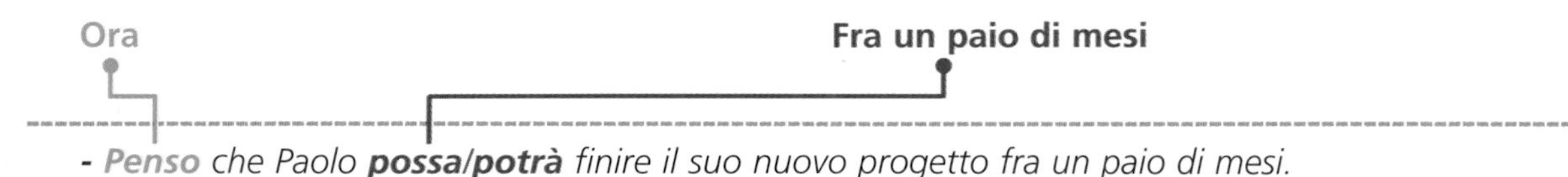

- *Penso che Paolo **possa/potrà** finire il suo nuovo progetto fra un paio di mesi.*

le due azioni avvengono nello stesso momento: si usa il **congiuntivo presente**;

- *Non so che cosa mi stia succedendo: mi sento sempre stanco. Sarà l'età!*

l'azione della dipendente è avvenuta prima: si usa il **congiuntivo passato**.

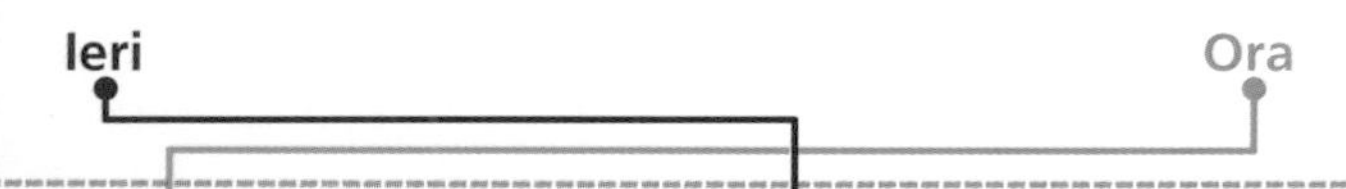

- *Credo che ieri Virgilio **abbia capito** bene quale sia il problema legale legato alla discussione condominiale.*

Il verbo della principale è al **condizionale semplice**,

l'azione della dipendente avviene dopo l'azione della principale: si usa il **congiuntivo imperfetto**;

- *Vorremmo che tu **venissi** a cena da noi sabato prossimo. Ne hai voglia?*

le due azioni avvengono nello stesso momento: si usa il **congiuntivo imperfetto**;

- *Mi piacerebbe che mia madre avesse più tempo da dedicare a se stessa.*

l'azione della dipendente è avvenuta prima: si usa il **congiuntivo trapassato**;

- *Vorrei che l'estate scorsa **foste venuti** in vacanza con noi. Ora potreste condividere con noi tante emozioni.*

Il verbo della principale è all'**indicativo passato prossimo/remoto**, **imperfetto** o **trapassato prossimo**,

l'azione della dipendente avviene dopo l'azione della principale: si usa il **condizionale composto**;

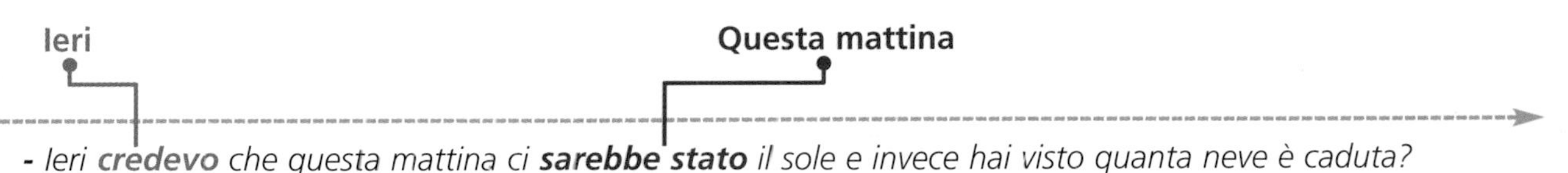

- *Ieri **credevo** che questa mattina ci **sarebbe stato** il sole e invece hai visto quanta neve è caduta?*

le due azioni della dipendente avvengono nello stesso momento: si usa il **congiuntivo imperfetto**;

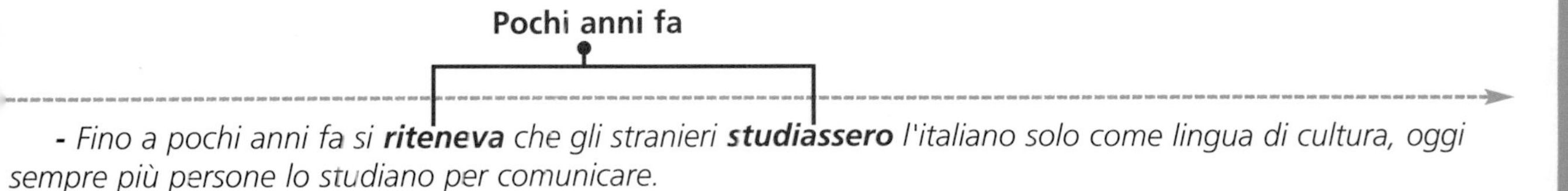

- *Fino a pochi anni fa si **riteneva** che gli stranieri **studiassero** l'italiano solo come lingua di cultura, oggi sempre più persone lo studiano per comunicare.*

l'azione della dipendente è avvenuta *prima*: si usa il **congiuntivo trapassato**.

- *Quando il 15 gennaio scorso i poliziotti **scoprirono** l'assassinio, pensarono che la vittima **fosse stata** uccisa tre giorni prima.*

Il verbo della principale è al **condizionale composto**,

l'azione della dipendente avviene *dopo* l'azione della principale: si usa il **congiuntivo imperfetto**;

- *Prima di cominciare a leggere il nuovo romanzo che hai scritto mi **sarebbe piaciuto** che tu me lo **spiegassi** un po'.*

le due azioni della dipendente avvengono nello stesso momento: si usa il **congiuntivo imperfetto**;

- *Ieri sera **avrei voluto** che Anna mi **raccontasse** meglio della sua nuova vita, ma era così silenziosa e triste.*

l'azione della dipendente è avvenuta prima: si usa il **congiuntivo trapassato**.

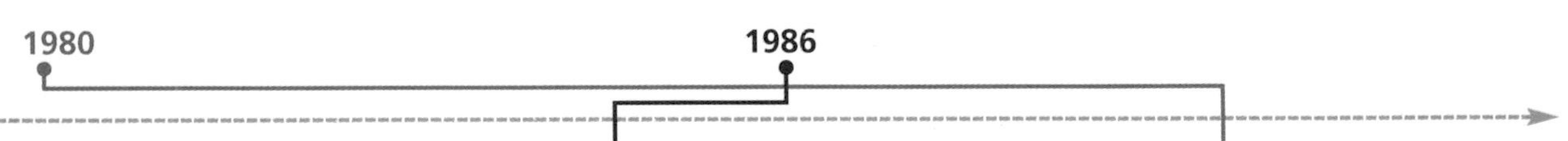

- *Quando ho iniziato l'università **avrei preferito** che alla scuola superiore mi **avessero dato** l'opportunità di studiare lo spagnolo anziché il francese.*

1 Completa le frasi con il tempo appropriato. Usa uno dei verbi del riquadro.

1 Penso che Patrizia ....stia.......... meglio, l'ho vista al lavoro.
2 Mi sembra che oggi ci .... più caldo di ieri.
3 Non so se qui si .... fumare.
4 Ho molta voglia che .... quest'anno accademico.
5 Mi dispiace che tu non .... a partire con noi.
6 È necessario che voi .... i biglietti per l'opera con molto anticipo.

finire, essere, riuscire, potere, comprare, stare

2 Trasforma al passato le frasi dell'esercizio 1, facendo attenzione alla concordanza dei tempi.

1 ...Pensavo che Patrizia stesse meglio, l'avevo vista al lavoro....
2 ....
3 ....
4 ....
5 ....
6 ....

3 Metti i verbi tra parentesi al tempo giusto.

1 Credevo che Amilcare ....venisse.......... (*venire*) da Torino e invece è di Milano.
2 Mi auguro che il mio nuovo provider di Internet .... (*funzionare*) meglio di quello vecchio.
3 Pilar comprò un cane stupendo, perché le .... (*tenere*) compagnia.
4 Quando ho finito il mio libro, pensavo che non ne .... (*scrivere*) più.
5 Spero che Fabrizia .... (*potere*) partorire Sebastian senza problemi.
6 Vorrei che Alexia .... (*tornare*) a vivere in Italia.
7 Bisognerebbe che tu .... (*chiedere*) a tua mamma la ricetta della sua polenta pasticciata. È così buona!
8 È difficile che a una certa età uno .... (*mettersi*) a studiare una nuova lingua.
9 Fulvio pensò che Sonia non lo .... (*volere*) più, in realtà si trattava solo di un momento di crisi.
10 Credevo che .... già .... (*vedere*) le nostre foto della Tanzania e invece sei l'ultima persona che ci rimane da stressare!

Il discorso indiretto

Nel passaggio dal discorso diretto al discorso indiretto è necessario cambiare vari elementi della frase, ad esempio soggetto, verbo (tempi e modi), pronomi personali, aggettivi possessivi, espressioni di tempo e luogo, ecc.

Nello schema nella pagina a fronte puoi vedere cosa succede ai tempi verbali partendo da una frase principale con verbo al passato (*ha creduto*, *pensavo*, *disse*).

Discorso diretto		Discorso indiretto
Presente *Leonardo **disse**: "**Ho** fame!"*	>	Imperfetto *Leonardo **disse** che **aveva** fame.*
Passato prossimo *Leonardo **disse**: "Non **sono riuscito** a studiare niente."*	>	Trapassato prossimo *Leonardo **disse** che non **era riuscito** a studiare niente.*
Passato remoto *Leonardo **disse**: "Un giorno mi **svegliai** e **capii** di aver sbagliato tutto nella vita."*	>	Trapassato prossimo *Leonardo **disse** che un giorno si **era svegliato** e **aveva capito** di aver sbagliato tutto nella vita.*
Futuro *Quando era piccolo Leonardo **disse**: "Quando **avrò** 18 anni **andrò** a vivere da solo."*	>	Condizionale composto *Quando era piccolo Leonardo **disse** che quando **avrebbe avuto** 18 anni **sarebbe andato** a vivere da solo.*

Osserva questo dialogo.
Cosa succede nel passaggio da discorso diretto a indiretto quando il verbo della principale è al presente?
- *Domani parto per il Bangla Desh e non torno più!*
- *Mamma, ma cosa dici?*
- *Dico che domani parto per il Bangla Desh e non torno più!*

Hai notato che i tempi non cambiano?

Spesso oltre al tempo cambia anche il modo del verbo.

Se il verbo della principale regge il congiuntivo, il verbo della secondaria è al congiuntivo e segue lo schema seguente.

Se l'azione del discorso diretto non si è ancora compiuta il verbo rimane al futuro.
- *Silvia ieri mi ha detto: "Verrò sicuramente alla tua festa sabato sera".*
- *Silvia ieri mi ha detto che verrà sicuramente alla tua festa sabato sera.*

Osserva che il cambiamento dei tempi avviene come per l'indicativo. Ciò che cambia è solamente il modo, che qui è il congiuntivo.

Discorso diretto		Discorso indiretto
Presente *Leonardo **chiese**: "Michela, mi **puoi** prestare la tua bici?"*	>	Imperfetto *Leonardo **chiese** se Michela gli **potesse** prestare la sua bici.*
Passato prossimo *Leonardo **chiese**: "Andrea, **hai comprato** il latte?"*	>	Trapassato *Leonardo **chiese** se Andrea **avesse comprato** il latte.*
Passato remoto *Leonardo **chiese**: "Quando **scrisse** Pirandello Uno, nessuno e centomila?"*	>	Trapassato *Leonardo **chiese** quando Pirandello **avesse** scritto Uno, nessuno e centomila.*
Futuro *A 5 anni Leonardo **chiese**: "Quando **potrò** cominciare a studiare l'inglese?"*	>	Condizionale composto *A 5 anni Leonardo **chiese** quando **avrebbe potuto** cominciare a studiare l'inglese.*

Nel passaggio da discorso diretto a discorso indiretto si possono usare altri verbi al posto di *dire* o *chiedere* ad esempio: *credere, pensare, ritenere, supporre, mi sembra/pare*, ecc. che reggono il congiuntivo.

Dopo chiedere si può usare sia il congiuntivo che l'indicativo.

Anche in questo caso quando il verbo della principale è al presente (*penso*, *credo*, *ritengo*) i tempi non cambiano.

- *Leonardo* ***chiede****: "Marcello,* ***stai*** *bene?"*
- *Leonardo* ***chiede*** *se Marcello* ***stia*** *bene.*

Nel passaggio da discorso diretto a discorso indiretto anche l'imperativo si trasforma in congiuntivo.

Discorso diretto		Discorso indiretto
A partire dal passato Imperativo *Leonardo* ***disse****: "Luigi,* ***dammi*** *il mio orologio!"*	>	Congiuntivo imperfetto *Leonardo* ***ordinò*** *a Luigi che gli* ***desse*** *il suo orologio.*
A partire dal presente Imperativo *Leonardo* ***dice****: "Luigi,* ***dammi*** *il mio orologio!"*	>	Congiuntivo presente *Leonardo* ***ordina*** *a Luigi che gli* ***dia*** *il suo orologio.*

Nel passaggio da discorso diretto a indiretto molti elementi cambiano oltre ai verbi, come avrai già notato.

Sull'uso della forma implicita o esplicita vedi Rete! 3 Unità 8.

Osserva l'esempio. Quali elementi cambiano?

- *Pietro, ti ricordi il numero di cellulare della tua ex-ragazza?*
- *Luca chiede a Pietro se si ricorda il numero di cellulare della sua ex-ragazza.*

Nell'esempio oltre ai verbi, cambiano il **soggetto** (tu > lui), il pronome **personale** (ti > si) e il **possessivo** (tua > sua).

Se, come nell'esempio (*Luca chiede* ...), il soggetto della principale è di III persona (lui, lei, loro) singolare o plurale, pronomi, aggettivi e verbi di I e II persona singolare (io, tu) e plurale (noi, voi) diventano di III (singolare e plurale).

Altri elementi che cambiano sono le **espressioni di tempo.**

- *"****Ieri*** *ho fatto un esame difficilissimo".*
- *Luca disse che* ***il giorno prima*** *aveva fatto un esame difficilissimo.*

Discorso diretto		Discorso indiretto
Oggi	>	quel giorno
domani	>	il giorno seguente/successivo il giorno dopo
fra una settimana	>	la settimana dopo la settimana seguente/successiva
stamattina	>	quella mattina
questo pomeriggio (ecc.)	>	quel pomeriggio (ecc.)
ieri ieri sera	>	il giorno precedente il giorno prima la sera prima
un'ora fa tre giorni fa un mese fa il mese scorso ora/adesso ora/adesso	>	un'ora prima tre giorni prima un mese prima il mese prima/precedente allora/in quel momento

Anche le **espressioni di luogo** e i **dimostrativi** cambiano.

- *"**Qui** non vivo più bene, vorrei cambiare città."*
- *Luca disse che **lì** non viveva più bene e che voleva cambiare città.*

Qui, qua > **lì, là.**

- *"Non avevo mai visto questo film prima di ora."*
- *Luca disse che non aveva mai visto quel film prima di allora.*

Questo / a / i / e > **quel / quella / ecc.**

4 Completa la conversazione telefonica.

Maurizio: Pronto, sono Maurizio; ho ricevuto un e-mail di Franco per Patrizia? Vuole sapere alcune cose. Me la passi?
Angelo: Ciao. Sta facendo il bagno a Cecilia. Se dici a me glielo riferisco.
Maurizio: Quando va in Argentina?
Angelo: Patrizia, Franco chiede .... **1** ....
Maurizio: Con che linea volerà.
Angelo: Patrizia, Franco chiede .... **2** ....
Maurizio: Vuole rimanere nello stesso albergo dell'altra volta.
Angelo: Patrizia, Franco chiede .... **3** ....
Maurizio: Quante ore di seminario vuole tenere?
Angelo: Patrizia, Franco chiede .... **4** ....
Angelo: Patrizia, Franco chiede .... **5** ....
Maurizio: E poi...
Angelo: Aspetta! Patrizia mi sta dicendo qualcosa.
Patrizia: Di' a Maurizio che lo richiamo perché non mi ricordo neanche una delle domande!
Angelo: Maurizio, Patrizia, dice che.. **6** ....
Ciao.
Maurizio: Ciao, a presto.

5 Trasforma le frasi in discorso indiretto.

1 *Pino dice*: "Oggi non se la sente di andare a lavorare".
Pino dice che oggi non se la sente di andare a lavorare.
2 *Pino dice*: "Non so chi sia la persona con cui parla mia moglie."
Pino dice che ....
3 *Pino dice*: "Ho talmente tanta fame che mangerei un bue!"
Pino dice che ....
4 *Pino dice*: "Se non finisco di stirare tutti questi vestiti entro sera, mi butto dalla finestra."
Pino dice che ....
5 *Pino dice*: "Finalmente presto andrò a Venezia non per andare all'università, ma solo per giocare al casinò".
Pino dice che ....
6 *Pino dice*: "Non sono riuscito a prendere le sigarette. Cristina, me ne offri una?"
Pino dice che .... e chiede a Cristina se ....

6 Trasforma le frasi dell'esercizio 5 al passato.

1 *Pino disse*: "Oggi non se la sente di andare a lavorare".
Pino disse che quel giorno non se la sentiva di andare a lavorare.

2 *Pino disse*: "Non so chi sia la persona con cui parla mia moglie."
Pino disse che ....

3 *Pino disse*: "Ho talmente tanta fame che mangerei un bue!"
Pino disse che ....

4 *Pino disse*: "Se non finisco di stirare tutti questi vestiti entro sera, mi butto dalla finestra."
Pino disse che ....

5 *Pino disse*: "Finalmente presto andrò a Venezia non per andare all'università, ma solo per giocare al casinò".
Pino disse che ....

6 *Pino disse*: "Non sono riuscito a prendere le sigarette. Cristina, me ne offri una?"
Pino disse che .... e chiese a Cristina se ....

7 Trasforma le frasi in discorso indiretto.

1 Quanto è alto tuo figlio, Giorgia?
Stella chiese a Giorgia quanto fosse alto suo figlio

2 Giorgia, mi dai il tuo indirizzo e-mail?
Stella chiese a Giorgia se ....

3 Giorgia, vieni con me al cinema questa sera?
Stella chiese a Giorgia se ....

4 Giorgia, non facciamo in tempo a prendere il treno, è partito dieci minuti fa.
Stella disse a Giorgia che ....

5 Giorgia, puoi abbassare lo stereo, qui c'è troppo rumore?
Stella chiese a Giorgia se ....

6 Giorgia, ti piace questo vestito?
Stella chiese a Giorgia se ....

1 Completa la telefonata tra Claudio e Luca con le espressioni contenute nel riquadro.

Luca: Pronto Claudio sono io.

Claudio: Ciao Luca, che voce, cos' hai? ....? ....! La domenica non c'è mai niente da fare.

Luca: Hai dato un occhiata al giornale? Forse c'è qualche film carino.

Claudio: ....! Danno un paio di filmacci americani d'azione che non sopporto e i pochi film decenti li ho già visti tutti.

Luca: A teatro non c'è niente?

Claudio: Ma .... se io vado a teatro! Lo trovo così ....!

Luca: .... che non ti piaccia il teatro. Sei proprio .... Io a teatro mi diverto un ....

Claudio: ...., sul serio ti piace il teatro?

Luca: Certo! .... che non è che non ci sia niente da fare, ma che sia tu un po' troppo pigro.

Claudio: Boh! Forse hai ragione. Comunque se .... più tardi ci facciamo un giro in centro.

Luca: A vedere altri .... come noi. No grazie, passa da me stasera se vuoi. .... ci noleggiamo un film e ci facciamo una pasta.

Claudio: D'accordo a dopo.

Luca: Ciao.

alla peggio - casino - che palle - dai - figurati - fuori di testa - magari! - mi sa - non ci posso credere - palloso - sei giù - sfigati - ti va

..... / 13

2 E a te piace andare a teatro? Hai mai provato a recitare? Su un foglio scrivi brevemente le tue opinioni sul teatro.

..... / 10

3 Leggi il dialogo tra Pinocchio e il Grillo Parlante. La colonna di sinistra è in ordine, mentre le battute della colonna di destra sono scambiate. In base al senso ritrova l'ordine giusto completando la griglia. Osserva l'esempio.

1 - Chi è che mi chiama? - disse Pinocchio tutto impaurito. Pinocchio si voltò e vide un grosso grillo che saliva lentamente su su per il muro.
2 - Dimmi, Grillo: e tu chi sei?
3 - Oggi però questa stanza è mia, - disse il burattino, - e se vuoi farmi un vero piacere, vattene subito, senza nemmeno voltarti indietro.
4 - Dimmela e spicciati.
5 - Canta pure, Grillo mio, come ti pare e piace: ma io so che domani, all'alba, voglio andarmene di qui, perché se rimango qui, avverrà a me quel che avviene a tutti gli altri ragazzi, vale a dire mi manderanno a scuola e per amore o per forza mi toccherà studiare; e io, a dirtela in confidenza, di studiare non ne ho punto voglia e mi diverto più a correre dietro alle farfalle e a salire su per gli alberi a prendere gli uccellini di nido.
6 - Chétati. Grillaccio del malaugurio! - gridò Pinocchio. Ma il Grillo, che era paziente e filosofo, invece di aversi a male di questa impertinenza, continuò con lo stesso tono di voce:
7 - Vuoi che te lo dica? - replicò Pinocchio, che cominciava a perdere la pazienza. - Fra tutti i mestieri del mondo non ce n'è che uno solo, che veramente mi vada a genio.
8 - Quello di mangiare, bere, dormire, divertirmi e fare dalla mattina alla sera la vita del vagabondo.

a - E questo mestiere sarebbe?...
b - E se non ti garba di andare a scuola, perché non impari almeno un mestiere, tanto da guadagnarti onestamente un pezzo di pane?
c - Guai a quei ragazzi che si ribellano ai loro genitori e che abbandonano capricciosamente la casa paterna! Non avranno mai bene in questo mondo; e prima o poi dovranno pentirsene amaramente.
d - Io non me ne andrò di qui, - rispose il Grillo, - se prima non ti avrò detto una gran verità.
e - Io sono il Grillo-Parlante, ed abito in questa stanza da più di cent'anni.
f - Povero grullerello! Ma non sai che, facendo così, diventerai da grande un bellissimo somaro e che tutti si piglieranno gioco di te?
g - Sono io!

g						
1	2	3	4	5	6	7

4 Completa liberamente i mini- dialoghi cambiando dal discorso diretto al discorso indiretto. Osserva l'esempio.

1 *Segretaria*: Scusi Avvocato, è il signor Marini al telefono. Vorrebbe fissare un appuntamento, cosa devo dire?
Avvocato: Gli dica che venga domani verso le tre e che porti tutti i documenti necessari.
Segretaria: Allora signor Marini, l'avvocato mi ha detto di dirle di venire domani e la prega di portare tutti i documenti.

2 *Francesco*: Pronto Gino, senti, Anna vuole sapere se sei ancora arrabbiato con lei e non vuoi proprio più vederla.
Gino: No, dille che ormai quello che è successo è acqua passata e che se vuole possiamo vederci. Dille che mi telefoni la settimana prossima.
Francesco: Pronto Anna, sono Francesco, allora, ho parlato con Gino..
....
....

3 *Dottore*: Guardi, ho dato un'occhiata alle analisi, non c'è proprio niente da preoccuparsi, lei è solo probabilmente un po' stressato, avrebbe bisogno di un po' di riposo.
Luisa: Guido, cosa ti ha detto il dottore?
Guido: Mi ha detto che ....
....
....

4 *Insegnante*: Allora ragazzi, per la prossima settimana leggete qualche articolo di giornale e cercate di individuare degli esempi di discorso diretto e indiretto. Se li trovate sottolineateli e fate una fotocopia da portare in classe.
Ximena: Scusa Margit, ero distratta, non ho capito cosa ha detto l'insegnante.
Margit: Ha detto che ....
....
....

5 *Marco*: Ciao Maria sono Marco, allora vi aspetto a casa mia per cena, verso le otto. Portate un po' di vino perché saremo in tanti. Avverti tu Laura?
Maria: Sì certo ora la chiamo subito. A stasera.
Maria: Pronto Laura sono Maria. Senti ho parlato con Marco, ha detto che ....
....
....

6 *Lisa*: Senta scusi sa dov'è il teatro Verdi?
Passante: Certo, andate fino in fondo dove vedete quel ristorante poi girate a destra e prendete subito la prima laterale a sinistra. Il teatro è lì.
Mauro: Allora cosa ha detto?
Lisa: Ha detto ....
....
....

..... / 15

NOME:
DATA:
CLASSE:

totale ..... / 50

unità 1

1 Ora ascolterai alcuni dei proverbi dell'Unità 1 pronunciati da alcuni parlanti regionali. Prova a dire se si tratta di parlanti del nord, del centro o del sud Italia. In fondo alla pagina troverai la soluzione di questo quiz geografico.

		Nord	Centro	Sud
a	A ognuno la sua croce.	☐	☐	☐
b	Al cuore non si comanda.	☐	☐	☐
c	Tanto va la gatta al lardo che ci lascia lo zampino.	☐	☐	☐
d	A mali estremi, estremi rimedi.	☐	☐	☐
e	Mogli e buoi dei paesi tuoi.	☐	☐	☐
f	Chi è causa del suo mal pianga se stesso.	☐	☐	☐
g	Tra il dire e il fare c'è di mezzo il mare.	☐	☐	☐

Se non sei riuscito a distinguere la provenienza geografica di questi italiani non ti preoccupare, in RETE!3 riprenderemo più volte questo argomento e forse alla fine sarai capace di capire da quale parte d'Italia provengono le persone che ascolti.

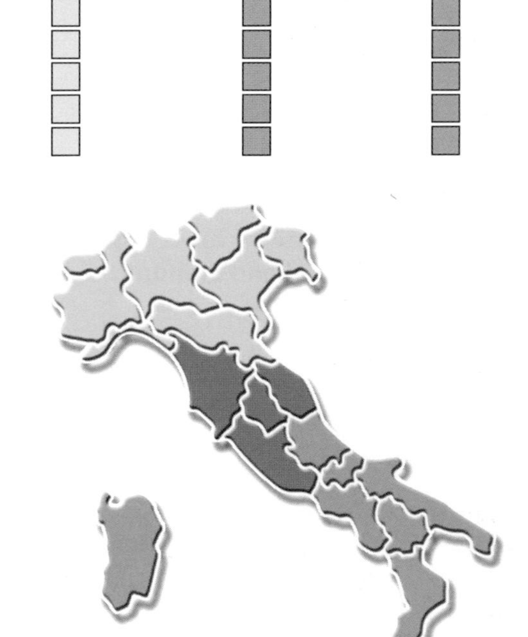

Soluzione esercizio 1: **a** sud; **b** centro; **c** nord; **d** nord; **e** sud; **f** centro; **g** sud

unità 2

1 In questa unità hai ascoltato un veneziano parlare del carnevale. Ora ascolta le stesse frasi pronunciate con accento veneziano e in italiano standard. Fa' una "V" quando sentirai parlare un veneziano e una "I" quando sentirai la stessa frase in italiano standard.

1 Saranno… circa, le otto e mezza ☑ V
Saranno… circa, le otto e mezza ☑ I

2 I gatti di notte sono tutti bigi ☐
I gatti di notte sono tutti bigi ☐

3 Oggi vado a casa ☐
Oggi vado a casa ☐

4 A me piace il pesce ☐
A me piace il pesce ☐

5 Ma quando arriva Susanna? ☐
Ma quando arriva Susanna? ☐

6 Ah… lo sanno bene! ☐
Ah… lo sanno bene! ☐

unità 3

1 Nell'unità 3 hai osservato alcune parole del dialetto siciliano. Ora ascolterai alcune frasi pronunciate in siciliano e in italiano standard.

1 Le devo domandare un favore.
2 È troppo breve secondo me!
3 Per favore, apri la finestra?
4 Mi piacerebbe fare una gita in barca.
5 E questo qua è lo zio Giuseppe.
6 Non lo so, forse verrò più tardi.

2 Ascolta questi tre brevi monologhi e di' se sono pronunciati da un parlante veneziano, siciliano o in italiano standard.

a Ciao, io mi chiamo Paolo, ho 54 anni, sono un insegnante e lavoro in una scuola elementare di provincia e... che dire? Il mio lavoro mi piace moltissimo. Il tempo libero, invece, mi piace passarlo con la mia famiglia, sono sposato e ho due figli di sedici e diciotto anni.

☐ Italiano standard ☐ Veneziano ☐ Siciliano

b Ciao, io mi chiamo Giuseppe, ma tutti mi chiamano Pippo, ho 26 anni, faccio il programmatore. Vivo con la mia famiglia, per adesso non sono sposato e non ci penso neanche. Per ora non voglio legami troppo importanti. Più in là forse troverò la donna adatta per me, ma per adesso va bene così!

☐ Italiano standard ☐ Veneziano ☐ Siciliano

c Buongiorno a tutti, io sono Eleonora, sono un'attrice di teatro, faccio anche un po' di pubblicità televisiva, forse mi avete vista in qualche spot. Certo, possiamo dire che io sono quasi una professionista della parola! Infatti, per me è molto importante, come dire... avere una pronuncia chiara e pulita!

☐ Italiano standard ☐ Veneziano ☐ Siciliano

unità 4

1 Ascolta queste serie di parole e di' se sono uguali o diverse.

	uguali	diverse
1	x	
2		
3		
4		
5		
6		
7		
8		
9		

Hai notato che queste parole contengono dei suoni intensi, si tratta dei suoni /ff/, /vv/, /ss/, /rr/, /ll/, /mm/, /nn/ che si pronunciano più lunghi dei rispettivi suoni /f/, /v/, /s/, /r/, /l/, /m/, /n/.

2 Ora leggi le parole dell'attività precedente con un compagno. Fa' attenzione, le parole con asterisco non esistono.

1	Officine	Officine	Oficine*
2	Classici	Classici	Classici
3	Davero*	Davero*	Davvero
4	Programma	Programa*	Programma
5	Divenne	Divenne	Divenne
6	Ferrari	Ferrari	Ferrari
7	Galeria*	Galeria*	Galleria
8	Arivare*	Arrivare	Arrivare
9	Condana	Condanna	Condanna

unità 6

1 Giochiamo un po'. Trova le 16 parole che sono nascoste nella tabella. Fa' attenzione, possono essere in orizzontale o in verticale.

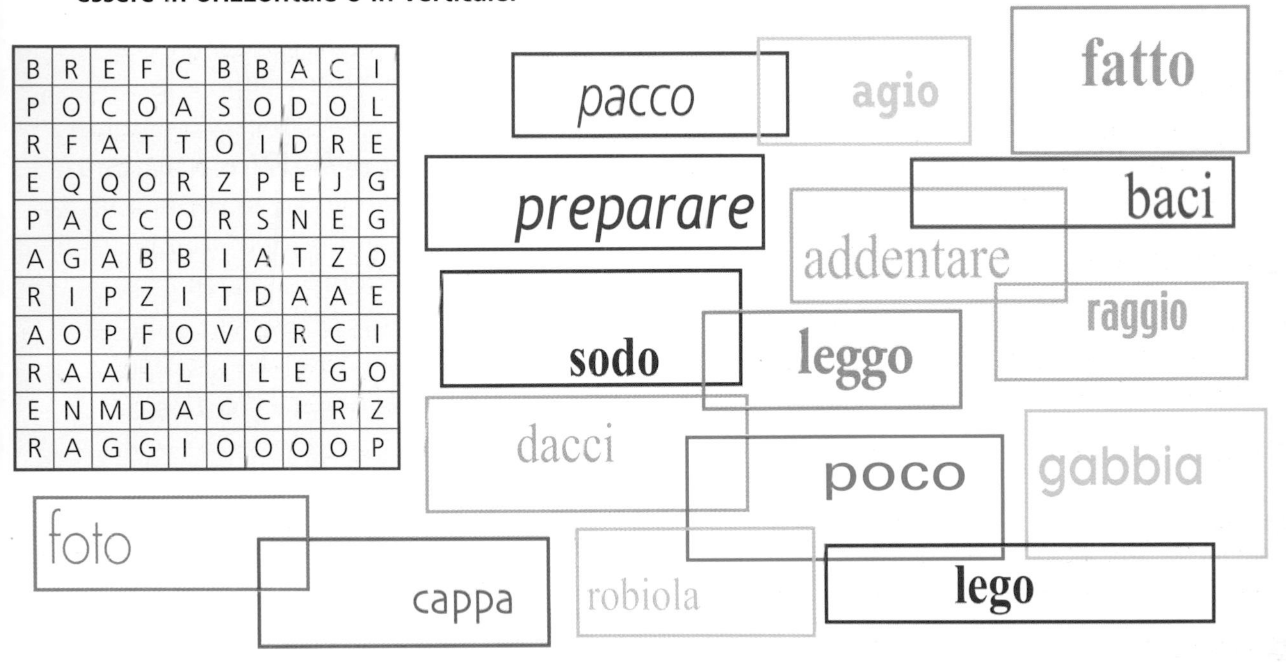

B	R	E	F	C	B	B	A	C	I
P	O	C	O	A	S	O	D	O	L
R	F	A	T	T	O	I	D	R	E
E	Q	Q	O	R	Z	P	E	J	G
P	A	C	C	O	R	S	N	E	G
A	G	A	B	B	I	A	T	Z	O
R	I	P	Z	I	T	D	A	A	E
A	O	P	F	O	V	O	R	C	I
R	A	A	I	L	I	L	E	G	O
E	N	M	D	A	C	C	I	R	Z
R	A	G	G	I	O	O	O	O	P

2 Ascolta le parole dell'attività precedente, prima quelle in orizzontale e poi quelle in verticale. Se ancora non hai trovato tutte le parole controlla nella soluzione in fondo alla pagina.

3 Leggi le parole dell'attività precedente con un compagno.

Hai notato che queste parole contengono i suoni /bb/ /pp/ /kk/ /gg/ /tt/ /dd/ /ttʃ/ /ddʒ/? Questi suoni devono essere pronunciati più intensamente e con più forza rispetto ai suoni /b/ /p/ /k/ /g/ /t/ /d/ /tʃ/ /dʒ/.

			F			B	A	C	I
P	O	C	O		S	O	D	O	L
R	F	A	T	T	O		D		E
E			O	R			E		G
P	A	C	C	O			N		G
A	G	A	B	B	I	A	T		O
R	I	P		I			A		
A	O	P		O			R		
R		A		L		L	E	G	O
E			D	A	C	C	I		
R	A	G	G	I	O				

Soluzione esercizio 2

unità 7

1 Ascolta queste parole, contengono i suoni /ts/, /dz/ (=-z-) /ɲ/ (=-gn-) /ʃ/ (= -sc-) /ʎ/ (=-gl-).

Hai notato che tutti questi suoni sono pronunciati intensi anche se non sono scritti doppi?
Infatti, è sufficiente che siano collocati tra due vocali per essere pronunciati in modo intenso.
Così non c'è veramente differenza tra *negozio* e *pazzia* che sono pronunciati rispettivamente /ne'gɔttsjo/ e /pat'tsia/.
Fa' attenzione, questi suoni si pronunciano intensi anche quando le vocali appartengono a due parole diverse.
Ad esempio, la parola *zio*, da sola, si pronuncia /'tsio/, ma in una sequenza come *lo zio*, si pronuncia /lo t'tsio/.

2 Insieme a un compagno leggi le parole dell'attività 1.

unità 8

1 Leggi questo breve brano sulle varietà dell'italiano.

Nell'Unità 8 hai ascoltato un brano tratto da un notiziario in cui il giornalista usa una varietà standard dell'italiano. Fino a non molti anni fa, questa varietà di italiano era identificata con il toscano e, più in particolare, con il fiorentino.
Oggi non è più così e in misura sempre maggiore il fiorentino viene percepito dagli italiani non toscani come una varietà locale, regionale dell'italiano.
Al contrario, le varietà di italiano parlate nel nord Italia sono spesso sentite come più prestigiose e meno marcate dal punto di vista geografico.
Ciò è dovuto sia a una perdita di prestigio delle varietà romana e fiorentina, sia a ragioni economiche: il nord è stato ed è tuttora la zona di maggior sviluppo industriale dell'Italia del dopoguerra e una delle aree più ricche dell'Unione Europea.
Naturalmente, qualsiasi parlante può decidere di accentuare o limitare le caratteristiche linguistiche del suo italiano avvicinandosi o allontanandosi dallo standard.
Quanto al dialetto vero e proprio, se ancora negli anni '60 una consistente fascia della popolazione italiana era costituita da dialettofoni puri, cioè da persone che parlavano in prevalenza dialetto, oggi i dialetti italiani, (come molte altre lingue nel mondo) stanno scomparendo. Ciò nonostante, in alcune regioni come Veneto, Campania, Calabria la presenza dei dialettofoni è ancora abbastanza rilevante.

2 Ora ascolta l'inizio del brano precedente letto prima in italiano standard, poi da un fiorentino. Riesci a "sentire" la differenza?

Nell'Unità 8 hai ascoltato un brano tratto da un notiziario in cui il giornalista usa una varietà standard dell'italiano. Fino a non molti anni fa, questa varietà di italiano era identificata con il toscano e, più in particolare, con il fiorentino. Oggi non è più così e in misura sempre maggiore il fiorentino viene percepito dagli italiani non toscani come una varietà locale, regionale dell'italiano.

unità 9

1 In questa unità hai letto i testi di alcune canzoni Fabrizio De André. Questo cantautore si è spesso servito del dialetto per le proprie canzoni, non solo di quello della sua città (Genova) ma anche dei dialetti di altre regioni . Ti proponiamo i testi e le relative traduzioni in italiano di due canzoni: *Creuza de mä* in genovese e *Zirichiltaggia* in sardo.

CREUZA DE MÄ *

(Mulattiera di mare / stradina che delimita due proprietà)

Umbre de muri muri de mainé dunde ne vegnì
duve l'è ch'ané
da 'n scitu duve a l'ûn-a a se mustra nûa e
a neutte a n'à puntou u cutellu ä gua
e a muntä l'àse gh'é restou Diu u Diàu
l'é in çë e u s'è gh'è faetu u nìu
ne sciurtìmmu da u mä pe sciugà e osse da u Dria e
a funtan-a di cumbi 'nta cä de pria
E 'nt'a cä de pria chi ghe saià int'à cä
du Dria che u nu l'è mainà
gente de Lûgan facce da mandillä qui che du luassu
preferiscian l'ä...

Ombre di facce facce di marinai da dove venite
dov'è che andate
da un posto dove la luna si mostra nuda e
la notte ci ha puntato il coltello alla gola
e a montare l'asino c'è rimasto Dio il Diavolo
è in cielo e ci si è fatto il nido usciamo dal mare per
asciugare le ossa dell'Andrea
alla fontana dei colombi nella casa di pietra
E nella casa di pietra chi ci sarà nella casa
dell'Andrea che non è marinaio
gente di Lugano facce da tagliaborse quelli che
della spigola preferiscono l'ala...

ZIRICHILTAGGIA *

(Lucertolaio)

Di chissu che babbu ci ha lacátu la meddu palti ti
sei presa
lu muntiggiu rúiu cu lu súaru li àcchi sulcini
lu trau mannu
e m'hai laccatu monti múccju e zirichèlti.
Ma tu ti sei tentu lu riu e la casa e tuttu
chissu che v'era 'ndrentu
li piri butìrro e l'oltu cultiato e dapói di sei mesi che
mi n'era ndatu
parìa un campusantu bumbaldatu.
Ti ni sei andatu a campà cun li signuri fènditi
comandà da to mudderi
e li soldi di babbu l'hai spesi tutti in cosi boni,
midicini e giornali
che to fiddòlu a cattr'anni aja jà l'ucchjali.

Di quello che papà ci ha lasciato la parte migliore
ti sei presa
la collina rosa con il sughero le vacche sorcine
e il toro grande
e m'hai lasciato pietre, cisto e lucertole.
Ma tu ti sei tenuto il ruscello e la casa e tutto
quello che c'era dentro
le pere butirre e l'orto coltivato e dopo sei mesi che
me n'ero andato
sembrava un cimitero bombardato.
Te ne sei andato a vivere coi signori, facendoti
comandare da tua moglie
e i soldi di papà li hai spesi tutti in dolciumi,
medicine e giornali
che tuo figliolo a quattro anni aveva già gli occhiali.

unità 10 • Ci vuole orecchio!

1 Ti facciamo ascoltare la stessa frase pronunciata da sei parlanti diversi: un genovese, un fiorentino, un veneziano, un siciliano, un lombardo e in italiano standard. Segna sulla cartina il numero del parlante nella regione o nella città corrispondente, se si tratta di italiano standard barra la casella "standard".

2 Ora controlla quanto "orecchio" hai.

da 0 a 1 risposte esatte

Devi ancora lavorare molto per riuscire a capire la provenienza degli italiani.
Non scoraggiarti, se insisti, alla fine l'italiano non avrà più segreti per te!

da 2 a 3 risposte esatte

Certo, ancora devi lavorare, ma sei sulla buona strada, ti manca soltanto un po' di esercizio e di ascolto per avere un buon "orecchio".

da 4 a 5 risposte esatte

Bravo! Hai un orecchio molto esercitato. Se continui così potrai raggiungere dei risultati eccellenti!

6 risposte esatte

Congratulazioni! La tua comprensione dell'italiano è simile a quella di un nativo! Probabilmente anche la tua pronuncia è molto buona! In una conversazione con degli italiani non dovresti avere difficoltà nel capire da quale regione provengono!

unità 5

5 Non sempre ci si ricorda o si conosce il nome degli oggetti. E allora per farsi capire cosa si fa? A coppie, lo studente A va a pag. VII e lo studente B a pag. VIII. Come nell'esempio, a turno uno spiega a cosa servono gli oggetti disegnati e l'altro indovina di che oggetto si tratta.

Esempio:

A : È quella cosa che serve/si usa per stirare i vestiti.

B : Il ferro da stiro.

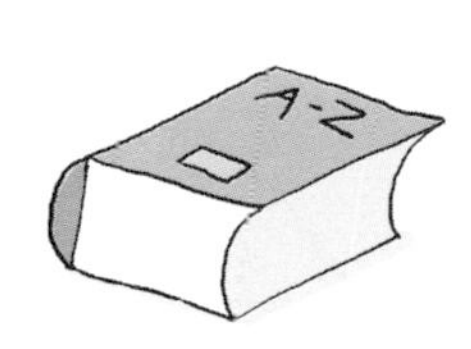

unità 6

4 Lavora con un compagno. Uno di voi è A e va a pagina VII, l'altro è B e va a pagina VIII. Usate il dizionario se necessario e preparate una definizione per ognuna delle malattie che trovate. Poi, a turno, cercate di indovinare le malattie.

febbre ....

raffreddore ....

varicella ....

mal di pancia ....

tumore ....

emorragia ....

esaurimento nervoso ....

unità 8

4 Adesso va' a pagina VII e controlla il tuo punteggio e il tuo profilo. Sei d'accordo?

Punteggio:					
4, 9, 11, 12, 15, 16, 17, 18, 19, 20, 22, 24	A = 5	B = 4	C = 3	D = 2	E = 1
1, 2, 3, 5, 6, 7, 8, 10, 13, 14, 21, 23	A = 1	B = 2	C = 3	D = 4	E = 5

Se hai totalizzato dai 100 ai 120 punti	Se hai totalizzato dai 50 ai 100 punti	Se hai totalizzato meno di 50 punti
Sei decisamente di sinistra, un idealista radicale. Il tuo modo di essere ti porta a difendere il debole e a lottare contro l'ingiustizia sociale. La libertà del singolo è importantissima, ma non a scapito degli altri esseri umani e degli altri esseri viventi. I tuoi valori morali, in qualche caso, sono lontani dalla realtà di oggi.	Sei un moderato, un po' progressista e un po' conservatore. Sei una persona concreta che non approva certi slanci idealisti, ma che crede comunque che valga la pena cercare di fare qualcosa per migliorare il mondo. Il realismo e l'equilibrio sono la tua bandiera.	Sei decisamente di destra. Sei uno che crede che questo sia il migliore dei mondi possibili. Per mantenere la tua posizione e i tuoi privilegi pensi che non si debbano accettare cambiamenti. Tutto ciò che può limitare o modificare la tua libertà dall'esterno, lo vedi in modo negativo.

unità 5

5 Non sempre ci si ricorda o si conosce il nome degli oggetti. E allora per farsi capire cosa si fa? A coppie, lo studente A va a pag. VII e lo studente B a pag. VIII. Come nell'esempio, a turno uno spiega a cosa servono gli oggetti disegnati e l'altro indovina di che oggetto si tratta.

Esempio:
A : È quella cosa che serve / si usa per stirare i vestiti.
B : Il ferro da stiro.

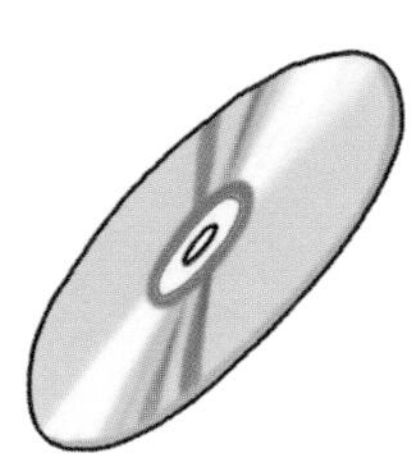
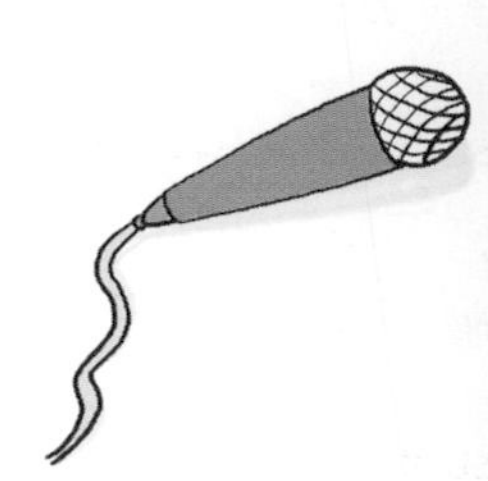

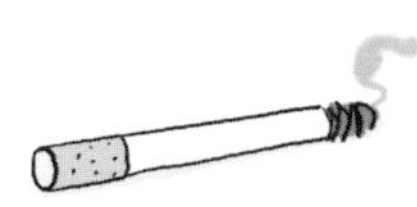
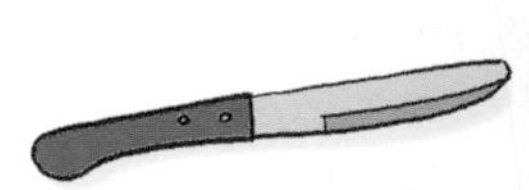

unità 6

4 Lavora con un compagno. Uno di voi è A e va a pagina VII, l'altro è B e va a pagina VIII. Usate il dizionario se necessario e preparate una definizione per ognuna delle malattie che trovate. Poi, a turno, cercate di indovinare le malattie.

influenza ....
tosse ....
morbillo ....
mal di denti ....
epatite ....
infarto ....
ipertensione ....

Simboli usati per la trascrizione dei suoni

I suoni delle vocali

/i/ v**i**no
/e/ v**e**rde
/ɛ/ f**e**sta
/a/ c**a**sa
/ɔ/ n**o**ve
/o/ s**o**le
/u/ ***u***va

I suoni delle semiconsonanti

/j/ ***i***eri
/w/ ling***u***a

Nell'alfabeto fonetico il suono /w/ in italiano è sempre e solo vocalico (**u**) e mai consonantico /v/.

I suoni delle consonanti

/p/ Na***p***oli
/b/ a***b***itare
/m/ ***m***edico
/n/ u***n***
/t/ ***t***empo
/d/ nor***d***
/ɲ/ compa***gn***o
/k/ ***c***asa, ***ch***e; ***q***uando
/g/ pre***g***o; un***gh***erese
/ts/ a***z***ione
/dz/ ***z***an***z***ara
/tʃ/ fran***c***ese; ***c***iao
/dʒ/ ***g***ente; ***g***iorno
/f/ ***f***iore
/v/ ***v***ino
/s/ ***s***ale
/z/ ***s***venire
/ʃ/ pe***sc***e; ***sci***arpa
/r/ ***r***osso
/l/ ***l***una
/ʎ/ fi***gl***io

L'accento è indicato con il segno / ˈ/ prima della sillaba accentata.
Il simbolo * davanti a una parola significa che la parola non esiste.
Il simbolo [:] indica un suono lungo.

simboli fonetici

COLLABORATORI

ABDELKRIM BOUSSETTA
ADRIANA BUCCOLO
ADRIANA CRISTINA CROLLA
ADRIANA LUCCHINI
AINE O'HEALY
ALESSANDRA BIANCHI
ALICE FLEMROVA
ALICIA MANNUCCI
ANA MARÍA VOLPATO
ANDREA SILVINA BUDE
ANGELA ZAGARELLA
ANNA BERGAMO
ANNA CARLETTI
ANNA FRABETTI
ANNA LIA PROIETTI
ANNA MARIA DOMBURG SANCRISTOFORO
ANNA PROUDFOOT
ANTONELLA GRAMONE
ANTONELLA STRAMBI
ANTONIO CAPALBI
ANTONIO PAGLIARO
BEATRICE ANTONAZZI
BEATRICE DIAZ.
BEATRICE GIUDICE
BELKIS DOGLIOLI
BELKIS RECALDE
BENEDETTA GIORDANO
BENEDETTA RIGOLI
BIANCA FERONE PERLE
CAMILLA SALVI
CAROLINE STEFANI
CECILIA ROBUSTELLI
CHIARA PERCUZZI
CINZIA CIULLI
CLAUDIA DOMENICI
CLAUDIA MORI
CLAUDIO DANIELE
CLELIA BOSCOLO
CONSUELO GRIGGIO KUHNGLOCKENDOSTR.
CRISTIANA GEREMIA
CRISTINA MORATTIELENA IVANOVA
DANIELA NOE',
DAVIDE MARTINI
DE DEA ERIKA
DOMINIQUE DE GUCHTENAERE.
DONATELLA BROGELLI
EDIT COGNIGNI
ELISABETTA FONTANA-HENTSCHEL
EMANUELE MINARDO
EMANUELE OCCHIPINTI
ESPERANZA QUEROL
ESTELA MODOLUCCI
FABIO VIGHI
FABRIZIO RUGGERI
FEDERICA SIMONE
FRANCESCA BRUNETTA
FRANCO MANAI
FULVIA MUSTI
GABRIELLA DONDOLINI SCHOLL
GABRIELLA ROMANI
GASPARE TRAPANI
GIAMPIETRO SCHIBOTTO
GIOVANNA PICCIANO
GIOVANNI ACERBONI
GIULIA FEDERICI
GIUSEPPINA AGNOLETTO
GIUSEPPINA DILILLO
GORDANA LUKAÈIÆ
IGNAZIA POSDINU
IVANA FRATTER
JOSÉ EDUARDO PENSO
JUDY RAGGI MOORE
KERSTIN PILZ
LAURA CRISTINA CAMPANA
LAURA MIANI
LELIA RANIOLO
LEONARDO GANDI
LILIANA LUIJS-PIZZOLANTE
LIVIO MARGIARIA
LOREDANA POLEZZI
LUCA BARZAGHI
LUCIANO PINTO
LUIGIA CIMINI
LUISA PAVON
LUOGO DI LAVORO KOC UNIVERSITY
LYNNE PRESS
MARCO DEPIETRI
MARCO DIANI
MARIA ANDREA CABALLERO
MARIA CRISTINA MAUCERI
MARÍA DEL CARMEN PILÁN DE PELLEGRINI
MARIA ELISA SARTORI
MARIA GALETTA
MARIA GRAZIA AMERIO KLOSTRMANN
MARIA INES MILANO
MARIA LOMBARDI
MARIA RAFFAELLA BENVENUTO
MARIACRISTINA BONINI
MARIAGABRIELLA GANGI
MARIELA BORTOLON
MARINA TASSINARI
MARIO SALVADERI
MARISEL EDIT FRANZOI
MARTA BALDOCCHI
MYUNG-BAE KIM
NELLA GIANNETTO
NICOLETTA MCGOWAN
NUNZIA LATINI
PAOLA BEGOTTI
PAOLA CESARONI
PAOLA SCAZZOLI
PASQUALE MAGGIORA
PATRICIA PERMÉ
PATRIZIA SAMBUCO
RENATA SPERANDIO
RISA SODI
ROBERTO PASANISI
ROBERTO UBBIDIENTE
ROSALIA BEATRIZ DESIDERIO
ROSANA BIGNAMI
ROSSELLA RICCOBONO
SABINA GOLA
SALVATORE COLUCCELLO
SANTE MODESTI
SAVERIO CARPENTIERI
SERAFINA SANTOLIQUIDO
SERGE VANVOLSEM
SILVIA CASTORINA
STANCHI ROSSANA
STEFANIA AMODEO
STEFANIA CAVAGNOLI
STEFANO CRACOLICI
STEFANO FOSSATI
STEFANO LAVAGGI
TANYA ROY
TERESA FIORE
TINDARA IGNAZZITTO
URSULA BEDOGNI
VALERIA VASSALE
ZULMA NOEMI DUBOULOY

note

note

note

note

note

Finito di stampare nel mese di marzo 2005
da Guerra guru s.r.l. - Via A. Manna, 25 - 06132 Perugia
Tel. +39 075 5289090 - Fax +39 075 5288244
E-mail: geinfo@guerra-edizioni.com